JACQUELINE MIRANDE

Contes et légendes

de

Provence

Illustrés par
Henri Dimpre

CONTES ET LÉGENDES

POCHE / NATHAN

*Le
dossier illustré
sur
La Provence
a été établi par
Jacqueline Mirande*

SOMMAIRE

COMMENT LA PROVENCE
DEVINT FRANÇAISE

Avant J.-C. :

- Dès 900 000 ans avant J.-C., apparition des premiers hommes à Roquebrune, Caderousse, plateau de Valensole, basse vallée du Rhône.
- De 1 000 à 700 environ, elle est ibère, ligure et celte.
- 600 : les Grecs fondent Massalia (Marseille).
- 125 : les Romains fondent Aix.
- Fin du 1er siècle, la Provence devient romaine.

Une rue obscure de Villefranche-sur-Mer. La Provence de tous les temps.

- Du IIe au IVe siècle, apogée de Nîmes et Arles.

- 520 : Arles devient préfecture des Gaules.

- Du VIe au Xe siècle, invasions barbares multiples, incursions sarrasine et normande.

- Du Xe au XIIIe siècle, la Provence est gouvernée par un comte tantôt toulousain, tantôt catalan aragonais.

- 1246 : Charles d'Anjou, frère de Saint Louis, épouse la fille du comte Raymond Bérenger V et devient comte de Provence à son tour.

En 1248, Saint Louis s'embarque à Aigues-Mortes pour la 7e Croisade.

- De 1309 à 1403, les papes s'installent à Avignon.

- 1434 : les États de Provence réunis à Aix ratifient le rattachement de la Provence à la France du roi Louis XI.

Dès lors, son destin sera celui d'une province française. Ce long passé historique fut la source privilégiée de légendes de toute sorte. Car la légende naît d'un fait réel — souvent inspiré par l'histoire — et que l'imagination de conteurs successifs embellit et déforme. Ainsi existe-t-il dans le folklore provençal des légendes et des contes :
— sur les époques préhistoriques : celles des « monstres », le Léviathan, la Tarasque ;
— d'inspiration antique : la fondation de Marseille ou Hercule en Provence ;
— sur le merveilleux chrétien.
— d'autres enfin s'attachent à dépeindre cette Provence médiévale considérée par certains comme l'« âge d'or » à tort ou à raison.

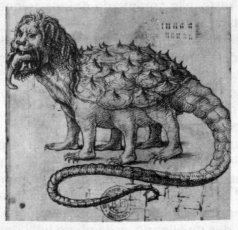

La Tarasque, un animal légendaire que l'on retrouve dans beaucoup de contes provençaux.

SEIGNEURS ET VASSAUX

Les troubadours d'alors chantent en langue d'oc :

Qu'om no sap tan dous repaire
Com de Rozer tro qu'a Vensa
Si com clau mars e Durensa
Ni on tan fis jois s'exclaire...

« Car on ne sait si douce patrie que celle qui s'étend depuis le Rhône jusqu'à Vence entre mer et Durance ni lieu où rayonne joie si parfaite... »
Cette société a-t-elle un caractère propre à la Provence ?
Dans ses grandes lignes, elle diffère peu des sociétés féodales voisines, sauf peut-être sur un point : les villes y sont plus nombreuses, jouent un rôle plus important qu'ailleurs.
Pour le reste, elle compte de grands seigneurs et de petits vassaux.
Dans les gros bourgs souvent baptisés villes, on trouve des commerçants, des artisans, des notables et des gueux.
Dans les bois, un menu peuple de charbonniers et de braconniers.
Sur la côte, des pêcheurs.
Enfin, un peu partout, les gens d'église — prêtres ou moines, archevêques ou abbés — et leurs ennemis héréditaires beaucoup moins nombreux qu'eux ! les sorciers. De çà de là, allant de châteaux en cours princières, des astrologues, des poètes, des joueurs de vielle ou de luth, des acrobates, des jongleurs...

La vie était douce et les conversations agréables dans le Midi de la France (Renaud de Montauban : dialogue de Maugis et Orlando, XVe siècle).

Le Comte de Provence ou le pouvoir féodal

C'est un grand baron comme le comte de Toulouse son voisin, ou le duc d'Aquitaine, ou le comte de Champagne. Il tient sa cour à Aix-en-Provence. Et il guerroie beaucoup. Contre ses voisins, contre ses vassaux souvent révoltés, contre les villes qui se targuent de « libertés » et lui refusent l'allégeance.

Quand il ne fait pas la guerre, il chasse à cheval le gros ou le petit gibier. Il a des meutes de chiens courants, des valets d'armes, des écuyers. S'il a des châteaux forts que tiennent ses hommes d'armes, il y réside peu.

Ce ne sont plus, du reste, les rudes constructions du Xe et du XIe siècle, flanquant un donjon de bois couvert de peaux de bêtes fraîchement tuées, pour empêcher qu'il ne brûle en cas d'attaque.

L'intérieur n'est plus de pierre nue et le sol jonché seulement de paille et d'herbe. Les croisades sont passées par là ! Apportant en Occident le raffinement de l'Orient, des tapis, des tentures, des soieries, des parfums... et dans les vergers des fruits jusque-là inconnus.

Le comte organise des tournois où s'affrontent des chevaliers provençaux, et venus d'ailleurs. Il donne de grands festins. Le détail des menus nous a été transmis et il étonne : des cygnes rôtis, des agneaux entiers, des décorations compliquées de cédrats, d'angélique, des vins qu'on empêchait d'aigrir en les mêlant de miel, de can-

a si grant alehime con li chenaus pooit tamoie si fiert le roneau et pur tres si ou remant com il puis et li mes par au le cors le glene. Et li roneaus chiet come cil qi mnort estoit feru si qe parceuant

la nuntier si se troue si las si si trauu qe tu li menbre li faloient et li est auis. Et los li piant talant de domur. Si sen dor en tel meinere. qe il ne se neilla vestu la m nint. Et qiu il se fu esueillies si regarde

Le tournoi était une distraction très appréciée par les seigneurs.

nelle ou d'épices... des confitures, cette nouveauté !

Autour des dames, fleurissent ce qu'on nomme les cours d'amour où les grands seigneurs — pour peu qu'ils soient doués ! — ne dédaignent pas de rivaliser en poèmes ou en chansons avec les troubadours patentés. Les mêmes d'ailleurs qui, le cas échéant, feront tuer sans hésiter un amant supposé, ou obligeront l'épouse soupçonnée d'infidélité à avaler quelque poison fabriqué par l'astrologue.

La puissance des vassaux

Les noms qui reviennent le plus souvent dans les chroniques sont ceux de : Blacas et Pontevès, au nord-est de Draguignan et Saint-Maximin ; les Moustiers et les Castellane sur le Verdon : les Porcellet à Aix et Arles. Enfin, deux seigneuries très puissantes :

— Les Sabran, qui étaient comtes de Forcalquier, tenaient en fief Gordes, Cavaillon, Apt, Sisteron, Gap, le Champsaur, etc., et ne cessèrent de se révolter contre les comtes de Provence avec la pensée de prendre leur place. Sans y parvenir, jamais.

— Les Bals ou seigneurs des Baux. Ceux-là se prénommaient Raymond, Hugues, Barral, se disaient descendants du Roi mage Balthazar dont ils portaient l'étoile dans leurs armoiries et avaient pour devise l'amusante formule « Au hasard, Balthazar » (était-ce pour la rime ?). Leur château, on en voit encore les ruines, nid d'aigle sur son rocher fameux détaché des Alpilles, dominant la plaine d'Arles jusqu'aux lointains de la mer. Ils y tenaient, à l'époque de Raymond Bérenger, une cour qui rivalisait avec celle d'Aix.

C'est dans la plus petite noblesse que le comte de Provence recrute volontiers les hommes de son administration car la Provence de cette époque a les structures d'un État.

VILLES ET VILLAGES

En Arles, au Moyen Age, toute une ville était construite dans l'enceinte et le long des murs de l'amphithéâtre.

L'importance des villes

La vie se concentre autour des églises et des marchés. Les quartiers se répartissent selon les cas entre le palais épiscopal (s'il y a un évêque), le centre militaire (s'il y a un château fort), seigneurial (s'il existe un palais) et enfin, groupés autour de quelques rues portant le nom de leurs métiers, un ensemble de commerçants et d'artisans. Déjà une certaine ségrégation se fait sentir ; il existe des places et des quartiers où habitent plus volontiers les notables. Ainsi à Sisteron, la Rue Droite et le long de la Saunerie ; autour de

Saint-Julien et de Notre-Dame, à Arles ; dans la rue Saint-Michel et la Grand-Rue à Cavaillon.

Églises, chapelles, couvents rythment du son de leurs cloches la vie urbaine, ses deuils, ses fêtes, ses angoisses (on sonne le tocsin pour les incendies ou l'approche d'ennemis ou, dans les ports, à l'apparition de voiles barbaresques... ou plus simplement pour écarter la foudre ou la grêle).

En plus des marchés, il y a les foires — celle de

Vue de la foire de Beaucaire au XVIIIe siècle.

Beaucaire est célèbre — les innombrables processions des confréries de quartiers ou de métiers.

La ville est souvent close de remparts dont les lourdes portes se ferment chaque soir à heure fixe. Ne restent ouvertes, pour les attardés, que les poternes, ou petites portes, gardées et qu'on ne peut franchir sans dire qui l'on est, d'où l'on vient, et où l'on va...

Mais, déjà, les faubourgs se construisent, adossés aux remparts. Des relations se nouent avec les villes italiennes ; bientôt, aux rues des tanneurs, des tisseurs, des vanniers, des verriers, tous artisans, aux ateliers exigus souvent prolongés par une échoppe quasiment en plein vent, va s'adjoindre une rue des Lombards. Ce seront pour la plupart des prêteurs d'argent.

Autre trait propre des villes provençales : elles ont de fortes communautés juives, comme à Carpentras, Avignon et Manosque. Les évêques et les papes les protègent et Avignon verra se développer, du fait des juifs, une intense activité intellectuelle : philosophie arabe, sciences, lettres, droit et astrologie.

A côté des artisans, les commerçants

On en trouve surtout dans les grandes cités-carrefours que sont Aix, Avignon et Marseille.

A Aix, parviennent les muletiers et les marchands venus de tous les centres urbains régionaux et même parfois de Gênes et de Montpellier. Y transitent les huiles d'olive, les vins, les amandes, la laine, le sel, les cuirs.

Ici, on fabrique et on vend de l'huile d'olive.

A Avignon, même avant que l'installation des Papes ne fasse de cette ville un centre politique international, des fortunes naissent des salines du Vaccarès et du commerce des textiles.

Quant à Marseille, les croisades et la reprise du commerce avec le Levant lui ont rendu son ancienne notoriété. En Syrie, en Palestine, en Barbarie, elle expédie métaux, vin, draps. Elle reçoit en échange les pierres précieuses, les épices, les porcelaines, les tissus de soie, le coton.

En revanche, une ville comme Arles, gênée par la concurrence d'Aigues-Mortes, de Pézenas, de Marseille, décline. Il y a encore des bateliers pour la navigation fluviale mais ils sont étrangers. Les Arlésiens se tournent davantage vers les terres. Les grands domaines sont confiés à des sortes de chefs de culture, les nourriguiers.

La majorité de la population
vit dans les campagnes

La plus grande partie des terres appartient à des familles nobles ou à l'Église.

De cette population rurale, la plus favorisée est formée, dans la région d'Arles du moins, par ces nourriguiers auxquels les grands propriétaires louent leurs terres.

Les paysans proprement dits sont astreints aux nombreuses charges que le seigneur fait peser sur eux, corvées et redevances. Car le moulin à grains, le pressoir à olives, le four pour cuire le pain appartiennent au seigneur et il faut payer le droit d'en user.

Les terres et les villages font, de plus, les frais des guerres, sans compter les chasses seigneuriales qui ravagent souvent les récoltes (nombre de contes y font allusion). Les cultures n'ont guère changé depuis l'époque romaine : céréales, oliviers, vignes. Et l'élevage. Mais sous l'impulsion de certains nobles et de certains moines (abbaye de Saint-Victor, de Saint-Gilles) on com-

Le four à pain.

mence à assécher les marécages, à Montmajour, à Mouriès, à Sorgues, à Entrages et en Camargue. Des vergers apparaissent, des citronniers autour d'Ollioules et de Hyères, la vigne augmente et, autour des villes, les cultures maraîchères.

Enfin, c'est vers cette époque qu'apparaît la transhumance — du moins dans les documents.

Les troupeaux suivant les *drailles* (chemins) vont de Basse en Haute-Provence et la montagne va ainsi profiter de la richesse des plaines qui s'étendent à ses pieds.

Un draille d'aujourd'hui — les paysans n'ont pas changé de route.

Au XIIIe siècle, le temps n'est pas encore venu où une noblesse pauvre s'associera aux paysans, leur concédant des terres, moyennant certaines redevances : ce sera la formule du métayage.

Le village vit replié sur lui-même

Il a ses artisans propres : forgeron, bourrelier, tonnelier... Il est fortifié, souvent, bâti sur une butte, fait de ces maisons provençales étroites et hautes, serrées les unes contre les autres le long de rues tortueuses pour les abriter du vent redoutable : le mistral. Elles sont construites en pierre, coiffées de toits de tuiles — dites « romaines ». Il n'y a pas encore de vitres, mais les fenêtres sont tendues de toiles enduites de cire ou de vessies de porc qui laissent passer la lumière ; le sol de la pièce principale est déjà carrelé de tommettes en terre cuite, rouge ou jaune selon les régions.

Le toit avance un peu pour protéger les murs des pluies d'orage. C'est la « gênoise ». Et, juste au-dessus de la fenêtre du grenier, la « carelo », la poulie, où passera la corde permettant de hisser les récoltes. Comme les villes, les campagnes ont leurs fêtes, religieuses le plus souvent, et le clocher de l'église rythme la vie ici aussi. Les mendiants y sont peut-être moins nombreux, plus attirés par les villes où les premiers hospices les reçoivent, où les confréries pieuses les nourrissent de temps en temps.

Sans doute, régnait-il déjà cet esprit provençal que décrit le conteur : « Parfois ils étaient pauvres mais toujours sobres, ils ne vivaient pas malheureux. Presque tous étaient gais et gentils de manière... » Après tout, que disait d'autre le trouvère de l'an 1300 ?

Le bon roi René. Comte de Provence de 1434 à 1480, il fut tout à la fois mécène et poète. Sous son règne, la Provence fut prospère.

mais toujours sacrés, ils n'avaient pas meilleur
reçu. Presque tous étaient gais et gentils de
manière. Arrhs tout que disait d'autre d'être la tour
vate de l'an 1300.

Le bon roi René, Comte de Provence de 1434 à 1480 (A Kit Dom
à la folx macabre of haste. *Good* son René, la Provence du
another.

Contes et légendes
de
Provence

JEAN DE L'OURS

Il y avait une fois dans la montagne de
Vibres une belle grande fille sans père ni mère
nommée Orsane. Elle allait dans la forêt cueillir
des framboises en été ou des champignons à
l'automne et elle les vendait pour vivre aux
messieurs de Senez. L'hiver, elle ramassait du
bois et au printemps, elle faisait de petits bou-
quets de fleurs sauvages.

Un beau jour, à l'époque où les feuilles des
arbres commencent à tomber, elle marcha sur
l'herbe d'égarement. C'est une herbe très dan-
gereuse, si fine que personne ne l'a jamais vue.
Sa fleur ressemble à une petite flamme d'or.

Elle luit la nuit comme un ver luisant mais sa
lueur s'éteint à mesure qu'on s'en approche. Et,
le jour, elle fait une ombre que les yeux
humains ne voient pas.

Si, par malheur, on pose le talon gauche sur
cette herbe et que l'on fasse treize pas sans
s'arrêter, on sent comme une légère brûlure,

puis un engourdissement et on ne peut plus retrouver son chemin. Mais si, par hasard — et par chance —, on s'arrête avant le treizième pas, alors on voit l'ombre autour de soi. Vite, il faut retourner sa veste et mettre son soulier gauche au pied droit. L'herbe d'égarement a perdu son pouvoir.

Orsane n'eut pas cette chance. Elle ne vit pas qu'elle foulait l'herbe magique, elle ne s'arrêta pas avant le treizième pas et l'enchantement la frappa.

Elle commença à tourner dans la forêt sans pouvoir en sortir. Elle tourna jusqu'au soir et pendant toute la nuit encore. Elle appela et cria, mais la forêt était déserte et, comme elle n'avait aucun parent au village, personne ne remarqua son absence, personne ne se soucia d'aller à sa recherche.

Quand la nuit tomba pour la seconde fois, Orsane aperçut l'entrée d'une caverne. Il y avait, dans le fond, un grand tas de feuilles mortes. Orsane s'étendit dessus et s'endormit.

Soudain, à l'aube, un bruit étrange l'éveilla, une sorte de grognement rauque. Elle ouvrit les yeux, vit devant elle comme un grand sac de fourrure, un museau plein de poils, deux petits yeux luisants. Un ours était là, debout sur ses pattes de derrière et regardait Orsane en grognant :

— Qui es-tu ? Que fais-tu ici, chez moi, sur mon lit ?

Elle respira un grand coup :

— Je suis Orsane sans famille. Je me suis

perdue dans la forêt. J'étais fatiguée, j'avais froid. Alors je suis entrée ici sans savoir que c'était chez toi. Je m'en vais tout de suite !

— Pour aller où ? Te perdre encore ? grogna de nouveau l'ours. Tu peux rester. Ça ne me gêne pas. Mais ne me fais plus parler ou je te dévore !

Cet ours était bourru mais assez bon diable. Orsane resta. Il lui apportait du miel sauvage et des fruits et la nuit, elle avait chaud contre sa grande toison brune. Les premiers temps, elle tourna encore dans la forêt avec l'espoir de retrouver son chemin mais elle n'y réussit pas et se résigna à vivre loin des hommes.

L'été suivant, elle eut un beau petit garçon avec des cheveux bruns cuivrés et des ongles durs comme du fer. Elle l'avait appelé Jean parce qu'il était né le jour où le soleil brille le plus longtemps de toute l'année.

Il grandit vite et bientôt put courir dans la forêt. Quand il rencontrait un ourson, un louveteau ou un marcassin, il jouait à lutter avec eux. Il était toujours le plus fort.

Lorsqu'il eut douze ans, il commença à s'ennuyer. Les journées d'hiver lui parurent interminables. Il voulait vivre chez les hommes. L'herbe d'égarement ne le gênait pas, lui, et il connaissait tous les chemins.

Une nuit, il entraîna sa mère Orsane. Laissant l'ours endormi dans sa caverne, ils descendirent à travers la forêt. Le temps était épouvantable, la neige tombait en bourrasques mais Jean sifflait comme un merle tant il était heureux.

Les gens du village furent bien étonnés de voir revenir Orsane au bout de tant d'années, avec un si beau garçon. Toutefois, comme elle gardait le silence, ils n'osèrent pas lui poser de questions. Sa maison était encore en bon état. Elle reprit sa vie d'autrefois et mit Jean à l'école.

Jean devenait grand et fort mais il s'ennuyait encore plus à l'école que dans la caverne de l'ours! Un jour, il rentra chez lui et dit à sa mère :

— Il faut que je parte. Donnez-moi un peu d'argent et mes souliers neufs, j'ai besoin de voir du pays !

Orsane hocha la tête, lui donna ce qu'il demandait, l'embrassa et le regarda partir sur le chemin de la vallée.

Jean marcha pendant une semaine et arriva enfin devant une forge. Le forgeron tirait sur la chaîne du soufflet et faisait rougir un morceau de fer.

Jean le salua et lui demanda :

— N'auriez-vous pas du travail pour moi ? Je me nomme Jean de l'Ours et j'ai de la force !

— Entre, dit le forgeron et bats-moi ce fer !

Jean posa sa besace, prit la pince, mit le fer rouge sur l'enclume, empoigna le marteau et, bang ! du premier coup, il enfonça l'enclume dans le sol : on ne voyait plus sortir qu'une des cornes.

— Pas mal tapé ! dit le forgeron inquiet. Mais comment vas-tu t'y prendre, à présent, pour remonter l'enclume ?

Jean leva un peu le pied, pesa de la pointe contre la masse de fer et la déracina comme une carotte. Puis il prit l'enclume par la corne entre le pouce et l'index et la porta plus loin où le sol était plus dur.

— Bon, dit le forgeron en riant, je vois qu'il ne faut pas te confier des travaux fins !

Et il lui donna seulement l'ouvrage à dégrossir. Mais Jean de l'Ours y allait de si bon cœur qu'avant le soir, il avait rompu des dizaines de barres de fer, fait éclater trois marteaux et fêlé la meilleure enclume.

Le forgeron s'arrachait les cheveux. Il pensait :

— Si je le garde, c'est la ruine. Si je le chasse, fort comme il est, il est capable de me tuer !

Il décida de le raisonner.

— Écoute, mon garçon, tu es doué, je ne le nie pas. Mais la forge n'est pas un métier pour toi. Tu devrais essayer autre chose.

Jean de l'Ours réfléchit un moment :

— D'accord. Laissez-moi seulement forger une dernière fois tout le fer qui est là et que j'ai brisé.

— Si tu y tiens, dit le forgeron. Mais tu ne pourras jamais l'emporter. Il y faudrait quatre hommes !

— Attendez et vous verrez !

Avec les barres fendues, il forgea une canne grosse comme un timon de char et qui pesait bien cinq ou six quintaux. Il la chargea sur l'épaule comme il eût fait d'un bambou et, saluant le forgeron stupéfait, partit gaiement.

Il arriva vers le soir au col de la Lèque et s'assit pour se reposer. Quelque chose passa en ronflant au-dessus de sa tête : une grande pierre ronde, large, qui retomba dans le cirque de Castellane. Puis une autre vola et encore une autre. C'étaient des meules de moulin ! Le vent qu'elles faisaient en s'abattant apportait une odeur de menthe écrasée.

Jean fouilla les gorges du regard et aperçut l'homme qui lançait les meules de moulin aussi aisément que de petits cailloux. Drôle de gaillard ! Grand, gros, velu, barbu...

— Comment t'appelles-tu ? cria Jean. Moi, je suis Jean de l'Ours !

— Et moi, Déferre-Moulins, cria l'homme. Je m'ennuie tout seul. Alors, je passais le temps.

— Viens avec moi. On voyagera ! proposa Jean.

— D'accord, fit l'autre.

Ils partirent en bavardant. Le lendemain, ils arrivèrent dans une forêt. Un bûcheron était en train de couper un sapin. Sans scie ni hache. Juste avec une petite faucille de ramasseuse d'herbe. Jean et Déferre-Moulins le regardaient éberlués : en deux coups de faucille, le sapin était scié, puis il s'attaquait à un autre et à un autre et, quand il en avait douze, il en faisait un fagot ! Un fagot de troncs de sapins ! Et pour le lier, il arrachait un chêne, le tordait sous son pied comme il eût fait d'un lien d'osier.

— Pas mal ! lui cria Jean. Et tu sais, pour la force, je m'y connais. Comment t'appelles-tu ?

Jean de l'Ours, Déferre-Moulins et Tord-Chênes décidèrent de faire route ensemble.

— Tord-Chênes. On gagne sa vie comme on peut.

— Viens avec nous. On voyage.

Le bûcheron ramassa sa faucille et les suivit.

À la tombée de la nuit, les trois compagnons arrivèrent au pied d'une montagne que dominait un grand château tout illuminé. Au bord du chemin, une vieille gardait sa chèvre. Ils lui demandèrent :

— À qui appartient ce château ?

La vieille fit d'abord celle qui n'entend pas. Puis, comme ils insistaient, elle cracha par terre :

— C'est un château maudit. Allez-y voir si ça vous chante. Vous ne serez pas les premiers. Mais de tous ceux qui sont entrés, pas un n'est ressorti. Ni vivant, ni mort.

Jean de l'Ours haussa les épaules. La curiosité le piquait. Il se dit que la vieille était folle et entraîna ses compagnons. Ils gravirent la montagne.

Vers le milieu de la nuit, ils parvinrent devant le château. Les portes étaient grandes ouvertes, personne ne les gardait. Ils entrèrent. Toutes les salles étaient éclairées et vides. Vide aussi l'escalier et vides les couloirs. Tout était doré, désert, silencieux.

— Beau château, dit Jean de l'Ours. Et pas de propriétaires gênants ! Si nous couchions ici ?

Les deux autres acquiescèrent. Ils s'installèrent et passèrent une bonne nuit. Au matin, tous trois avaient faim et leurs besaces étaient presque vides.

— Écoutez, dit Déferre-Moulins, je vais faire une bonne soupe avec ce qui nous reste de provisions. Pendant ce temps, vous deux, vous irez à la chasse. Je sonnerai de ce cor qui est pendu là au manteau de la cheminée, quand la soupe sera prête. Et nous aurons le gibier pour dîner. Demain, on changera de tour.

Jean de l'Ours et Tord-Chênes partirent donc à la chasse. Déferre-Moulins, installé dans la cuisine, fit griller du pain, frire du lard, rôtir un oignon, mit de l'eau à chauffer et prépara une bonne soupe avec tout cela.

À midi, il décrocha le cor, ouvrit la fenêtre pour sonner ses compagnons. Déjà il gonflait les joues, s'apprêtait à souffler, quand un bruit de pierres qui croulent le fit se tourner vers la cheminée.

Un petit homme, pas plus haut que trois pommes, levait le nez vers lui. Trois pommes de fin d'hiver, ridées, flétries et grêles. Il était nu de la tête aux pieds et blanc comme un cardon de Noël. Il avait des moustaches hérissées, un crâne aplati et bosselé de chat sauvage.

Déferre-Moulins en restait muet de stupeur.

— Je veux de ta soupe, dit le petit homme pâle.

— De ma soupe ? Et quoi encore ! Sors de là, ou je t'écrase comme une mouche !

Le petit homme tenait à la main une baguette de coudrier. Il la leva et s'élança sur Déferre-Moulins. L'autre recula, dégoûté. Alors le petit homme lui décocha sur les jambes une grêle de coups qui se mirent à lui brûler tout le corps comme des traits de feu. Tant et tant qu'il ne put se défendre et resta évanoui sur le carreau.

Il ne revint à lui que trois heures plus tard au moment où Jean de l'Ours et Tord-Chênes, lassés d'attendre le signal, revenaient, très en colère et criaient :

— Fainéant ! Bon à rien ! Où est la soupe que tu devais faire ? Et pourquoi n'as-tu pas sonné à midi ? On a faim, nous !

Déferre-Moulins se releva. Il était tout moulu des coups qu'il avait reçus et gémit :

— Oui, je l'avais faite, ma soupe et elle était bonne ! Et au moment où j'allais sonner, un géant énorme est entré qui a voulu tout manger. Je me suis jeté sur lui et il m'a presque tué. Et il a vidé la marmite. Voyez !

— Ça va bien, grogna Tord-Chênes. Demain, c'est moi qui resterai. Et, si le géant vient, je lui ferai son affaire !

Le lendemain, Déferre-Moulins accompagna Jean de l'Ours à la chasse et Tord-Chênes resta au coin du feu. Mais, à midi, aucun signal ne retentit. Les chasseurs patientèrent jusqu'à deux heures. Enfin, l'estomac dans les talons, ils rentrèrent. Ils trouvèrent Tord-Chênes étendu sur le sol. Ils le secouèrent, lui jetèrent de l'eau froide au visage. Il revint à lui.

— Ah, mes amis, gémit-il. Le géant est revenu. Plus gros et plus horrible que ne disait Déferre-Moulins. Il est haut comme la tour de Senez, rouge comme un poivron à la saint Roch et il m'a battu comme plâtre, assommé même et voyez : il a de nouveau vidé la marmite !

Déferre-Moulins l'écoutait sans rien dire mais il avait envie de rire à la pensée de ce beau géant, en effet ! Haut et large comme trois pommes et rouge comme un cardon de Noël, oui ! Pourtant, il se garda bien de contredire Tord-Chênes. C'eût été avouer sa propre défaite !

— N'en parlons plus, dit Jean de l'Ours. Demain, le géant, c'est moi qui m'en charge !

Le lendemain donc, il demeura seul au château. À midi, sa soupe fut prête. Il décrocha le cor et sans ouvrir la fenêtre sonna si fort devant la cheminée que les murs tremblèrent et qu'un tourbillon de suie s'envola par le conduit et se tordit jusqu'aux nuages. Les deux chasseurs, étonnés, se hâtèrent de revenir.

Au moment où Jean de l'Ours suspendait le cor au-dessus de la cheminée, le petit homme blanc, avec sa baguette de coudrier, apparut devant le foyer, reniflant l'odeur de la soupe.

— Alors, c'est toi, le gros géant ? demanda en riant Jean de l'Ours.

Le petit homme, furieux, leva sa petite baguette. Mais Jean de l'Ours, plus rapide que lui avait déjà saisi sa grosse canne en fer de plus de cinq quintaux et en frappa son crâne de chat. Des étincelles jaillirent mais il ne plia pas. Alors, à grands revers de canne, il l'aplatit : zou ! à droite, à gauche, à droite comme on étale, en trois coups de cuillère, du miel sur une tartine.

— Arrête, cria le petit homme et je te révélerai le secret du château.

Jean arrêta ses coups de canne.

— Sous la pierre de la cheminée, dit précipitamment le petit homme, il y a un puits qui s'enfonce dans la montagne. Tout au fond, une princesse attend d'être délivrée. La plus belle princesse du monde. Car ce château est enchanté.

— De ça, je me serais douté, se moqua Jean de l'Ours. Merci quand même pour la princesse. Maintenant, file et ne t'avise pas de reparaître jamais !

Le petit homme se sauva clopin-clopant, juste comme Déferre-Moulins et Tord-Chênes entraient dans la cour. Ils montèrent en toute hâte, s'étonnèrent :

— Le dîner est prêt ? Tu n'as donc pas vu le géant ?

— Je n'ai vu qu'un mauvais petit homme tout juste grand comme trois pommes, blanc comme un cardon de Noël et moi, je l'ai battu. Car vous avez beau avoir le double de mon âge et bien plus de force que moi, vous n'avez rien dans la cervelle. J'ai bien envie de vous planter là !

Les deux autres protestèrent en chœur :

— C'est que nous, nous avons été surpris. Toi, tu étais sur tes gardes, grâce à nous et aux coups que nous avons reçus, sinon tu te serais peut-être laissé rosser toi aussi !

— Admettons ! Je vous donne encore une chance de montrer que vous n'avez pas que des poings. Regardez !

Avec sa canne de fer, Jean de l'Ours souleva

la pierre du foyer. Un puits noir s'enfonçait dans la montagne. On n'en voyait pas le fond. Déferre-Moulins et Tord-Chênes reculèrent effrayés.

— Au fond est prisonnière une princesse très belle, expliqua Jean de l'Ours. Celui qui la délivrera l'épousera. À toi de commencer Déferre-Moulins !

On l'attacha au bout d'une corde longue de plus de cent mètres et on le laissa filer. Quand la corde fut au bout, elle resta raide et lourde.

— Elle est trop courte, cria Déferre-Moulins. Remontez-moi vite !

On entendait à peine sa voix dans la profondeur. Quand il reparut au bord du puits, il était tout pâle :

— N'y allez pas, dit-il, n'y allez pas !

— Qu'as-tu donc vu ? demanda Jean.

— Rien ! Rien. C'est justement ça qui est affreux. Ce noir ! Sans rien ! N'y allez pas !

Mais Tord-Chênes avait déjà noué sous ses bras une corde longue cette fois de plus de deux cents mètres et enjambait le bord du puits. Hop, le voilà dans le trou.

Quand la corde fut au bout, elle se mit à danser et frémir. On ne pouvait plus entendre la voix de Tord-Chênes. Jean de l'Ours et Déferre-Moulins le remontèrent. Il était tout pâle lui aussi et dit seulement :

— J'ai peur ! J'ai peur ! Jean de l'Ours, n'y va pas !

— J'irai ! répliqua Jean et c'est moi qui épouserai la princesse.

Il noua une troisième corde de plus de trois cents mètres et les deux autres le laissèrent filer le long du puits. La descente lui parut longue. Il dansait au bout de la corde et virevoltait sans arrêt et le froid lui glaçait les os. Enfin il toucha le sol, au fond de la montagne. Dans le noir, à tâtons, il détacha la corde.

Une mince lueur filtrait au loin. Il marcha dans sa direction et à mesure qu'il avançait la lueur se faisait plus claire, la voûte du souterrain plus haute. Il crut arriver au jour mais au lieu du soleil, ce qui brillait en haut était argenté et frémissant comme l'eau d'un lac sous le vent.

Il vit alors un chemin et tout au bord un monceau d'ossements blanchis et d'armures brisées. Allongé sur une dalle, un grand lévrier taillé dans un bloc de pierre bleue semblait veiller sur eux. Jean de l'Ours pensa aux hommes dont la vieille avait parlé et qui avaient disparu. Il faillit renoncer. Mais le lévrier de pierre se leva soudain et vint lui lécher la main. Jean le caressa et continua sa route. Une rivière la barrait. Il n'y avait pour pont qu'une longue planche qui se mit à plier à chacun de ses pas. Il glissa plusieurs fois et faillit tomber. Comme il arrivait au bout, un dragon se dressa qui crachait du feu. Jean brandit sa canne de fer de plus de cinq quintaux et lui cassa les reins.

Alors apparut un deuxième dragon qui avait sept têtes et un seul œil par tête. De nouveau, Jean balança sa canne de plus de cinq quintaux et, comme d'un coup de faux, trancha les sept têtes.

Mais, de ce faux ciel argenté, frémissant, comme l'eau d'un lac sous le vent, la mère de tous les dragons fondit sur Jean. Sa robe de cuir aux écailles vertes traînait derrière elle dans l'air comme une longue queue. Elle enveloppa Jean dans ses replis et s'envola. Elle montait, montait, montait.

Jean lui planta sa canne dans le ventre. La peau se mit à flotter autour du trou mais la mère de tous les dragons continuait toujours à monter. Jean dégaina son couteau de chasse et trancha la queue verte qui l'enveloppait. Elle se déroula comme une pelure de pomme et Jean qui s'y tenait accroché tomba avec elle sans se faire trop de mal.

La queue coupée continuait à se tordre comme un gros serpent et à sautiller en direction d'une petite maison sans fenêtres, en haut d'un tertre. Il en venait un chant étouffé si beau et si triste que Jean comprit que c'était la princesse qui était enfermée là. Il y courut. La seule ouverture était une énorme porte de chêne bardée de fer. Il était impossible d'entrer. Jean se demandait comment délivrer la princesse, lorsqu'il vit le petit homme tout nu, tout blanc et tout clopin-clopant sortir des plis de la queue, sa baguette de coudrier à la main. Il se faufila vers la porte. Une chatière s'ouvrait au bas. Il s'y glissa mais avec tant de hâte qu'il laissa échapper sa baguette de coudrier.

Alors Jean de l'Ours, inquiet pour la princesse, rassembla toutes ses forces, lança comme un bélier sa canne en fer de plus de cinq quintaux, par trois fois contre la porte. Le chêne craqua, le fer grinça, la pierre éclata autour des gonds et la porte s'abattit dans un nuage de poussière.

Jean se précipita et vit devant lui un chat gigantesque cabré comme un cheval. Il tenait toute la largeur et toute la hauteur de la voûte. Il avait ramassé une traverse de chêne et porta à Jean un coup terrible qui lui ensanglanta le front. Il tenta de lever sa canne et de l'abattre sur le chat géant mais la canne éclata et retomba en autant de morceaux de fer que Jean en avait soudés ensemble dans la forge.

Il pensa que, cette fois, il était perdu, se baissa pour ramasser au moins un de ces bouts de fer, le sang l'aveuglait, ce fut la baguette de coudrier échappée au nain qu'il ramassa. Follement, il en frappa le chat féroce qui tomba raide mort.

Au fracas que fit sa chute, la princesse sortit de sa chambre. Elle se jeta comme un oiseau dans les bras de Jean de l'Ours. Et lui la regardait émerveillé de sa beauté. Il n'osait même plus bouger. Elle essuya de son mouchoir son front plein de sang, doucement. Tendrement. Alors, il l'embrassa. Ils étaient si heureux qu'ils oubliaient le temps. Il fallait pourtant bien qu'ils remontent vers le jour et vers le château.

Lorsqu'ils furent au fond du puits, Jean voulut que la princesse s'accroche la première à la corde pour ne pas rester seule dans tout ce noir. Mais elle refusait de se séparer de lui. Elle craignait qu'une fois là-haut, les autres ne veuillent plus hisser Jean et la gardent prisonnière. Jean finit par la convaincre, l'attacha au bout de la corde qu'il secoua plusieurs fois, pour donner le signal. La princesse avait les yeux pleins de larmes et détacha deux violettes de son corsage. Elle les tendit à Jean. Puis elle commença à monter doucement, hissée par Tord-Chênes et Déferre-Moulins.

Quand ils virent la princesse, si charmante et légère, qui leur souriait timidement sous la grande cheminée noire, ils furent éblouis et chacun, dans son cœur, décida de la garder pour lui. Mais avant, il leur fallait se débarrasser de Jean. Les deux mauvais drôles commencèrent à tirer la corde qu'ils avaient renvoyée à Jean au fond du puits. Ce que craignait tant la princesse arriva : ils tiraient de plus en plus lentement en faisant mille grimaces sous les yeux de plus en plus inquiets de la princesse.

Lorsqu'ils estimèrent que Jean était assez haut dans le puits pour se rompre le cou en tombant, ils firent comme si la corde venait de casser et la lâchèrent. Un bruit sourd monta du fond du puits. La princesse s'évanouit.

Jean de l'Ours se mit à sourire, au fond de son puits quand il vit dégringoler la grosse pierre qu'il avait liée à sa place, à la corde. Car il se méfiait de ses compères ! Si les deux scélérats avaient vu ce sourire, ils auraient claqué des dents de terreur.

Cependant, il fallait sortir du monde souterrain. Jean reprit le chemin menant à la maison de la princesse. Arrivé près du grand lévrier de pierre qui veillait toujours, immobile sur sa dalle, le monceau d'os blanchis et d'armures brisées, Jean ralentit le pas. Il prit l'une des violettes de la princesse et la jeta sur les ossements. Le lévrier de pierre revint lui lécher la main et, cette fois, il parla :

— Si tu as volé dans l'air une fois, ne peux-tu pas voler encore ?

Puis il retourna s'allonger sur la dalle. Jean de l'Ours courut vers la porte de la maison. La queue du dragon était toujours là. Il s'enroula dans la peau aux écailles vertes et sentit qu'en effet, il s'envolait. Il arriva ainsi près du haut du puits. Mais la princesse, Tord-Chênes et Déferre-Moulins n'étaient plus là. Le château lui-même s'était écroulé.

C'étaient Tord-Chênes et Déferre-Moulins qui, en deux coups d'épaule, avaient fait basculer le château sur le versant de la montagne. Pour montrer leur force à la princesse, lui faire peur et l'obliger à accepter leur plan.

Car voici ce que ces deux bandits avaient décidé : épouser tous les deux la princesse après l'avoir ramenée chez le roi son père. Elle croyait Jean de l'Ours mort et était si désespérée qu'elle leur promit de les épouser. Le roi son père trouva bien ces doubles noces assez étranges mais sa joie était telle d'avoir retrouvé sa fille qu'il ne pouvait penser qu'à ça. On prépara donc les fêtes du mariage. Le banquet devait avoir lieu dans une grande prairie. Tous les invités étaient déjà rendus lorsqu'on vit venir dans le ciel un animal étrange. C'était

Jean de l'Ours, serré dans les plis de la queue du dragon. Jean de l'Ours qui cherchait partout sa princesse. Cette foule en fête, dans la prairie, avait attiré ses regards.

Il descendit, se dirigea vers la table royale. Ses boucles brun doré brillaient au soleil, son visage rayonnait d'amour. Il tenait à la main une violette encore fraîche.

La princesse s'était levée, tremblante, courait vers lui et devant tous, prit dans sa petite main celle de Jean de l'Ours et ne la lâcha plus.

Les deux complices, eux, prirent leurs jambes à leur cou en voyant vivant celui qu'ils croyaient avoir tué et s'enfuirent si loin qu'on ne les revit jamais.

LES ÎLES D'OR

C'était plus fort que lui : chaque fois que saint Pierre, du haut des cieux, regardait vers les îles d'Or, il était obligé d'éclater de rire à la vue d'un curieux petit personnage qui s'agitait là, son auréole un peu de travers.

Saint Honorat avait pour mission de garder les îles d'Or et ce n'était pas une mince besogne car le diable y fourrait volontiers son nez. Mais le diable trouvait à qui parler. Saint Honorat n'était pas un saint comme les autres, toujours à faire la morale et à pleurnicher. Il savait fermer les yeux à l'occasion et il n'était pas fier, il mettait volontiers la main à la pâte. Aussi était-il très populaire. Et sa façon de se battre contre le diable, en lui jouant de bons tours mettait toujours les rieurs de son côté.

Profitant de ce que le diable était en voyage, il lui avait repris l'île de Lérins — car il n'y en avait qu'une à l'époque et qu'on appelait Léro. Et hop, et hop, tuiles par-ci, pierres par-là, il

44

avait, en un tournemain, détruit le beau temple que le diable s'était bâti là. Puis, comme si cet exploit ne lui suffisait pas, saint Honorat avait cassé l'île en deux morceaux, sans compter quelques petites miettes d'îles détachées tout autour.

Sur la plus petite, qui était au sud, il bâtit en toute hâte un monastère que l'on voit encore de nos jours du reste, et cette île porte son nom : Saint-Honorat. Sur l'autre, qui était plus grande et plus belle, il installa sa sœur Marguerite, qui était sainte elle aussi et donna, elle aussi, son nom à l'île.

Quand le diable revint de voyage et qu'il vit tout ce beau travail, il entra dans une rage... mais une rage à faire peur. Il vola une barque au môle du Suquet et se mit à ramer vers les îles. Tout marcha d'abord à merveille. Déjà l'île Sainte-Marguerite paraissait toute proche lorsque le diable s'aperçut que sa barque n'avançait plus. Il tirait sur les avirons comme un forçat, suait comme un mulet de pressoir à olives : la quille semblait échouée sur un banc de sable invisible.

Le diable devina quelque tour de saint Honorat et, écumant de colère, il essaya de faire un détour en souquant furieusement sur les rames. Il ne réussit qu'à s'éclabousser d'un coup, de la tête aux pieds. Aïe, aïe, aïe ! Saint Honorat avait fait couler là une fontaine sous-marine, en eau bénite, mes amis ! Le diable se sentit brûlé comme un marmiton qui s'arrose d'huile à frire. Il fit demi-tour en hurlant et, tout fumant, rejoignit la côte.

— J'ai eu tort, pensa-t-il de vouloir mener cette barque tout seul. La force ne peut rien contre ces sortilèges des prêtres. Il faut que je trouve un passeur qui soit baptisé.

Il se promena aux environs du port, en quête d'un batelier bien disposé. On était à la veille de Noël, mais il faisait si doux que tous les marins étaient dehors, en train de jouer aux boules. Le diable en dérangea plusieurs dans leur partie et posa sa question. Tous se faisaient tirer l'oreille, cet étranger ne leur disait rien qui vaille.

Le diable faisait longue mine quand un pêcheur d'Antibes qui voulait rentrer chez lui avant la messe de minuit consentit à l'emmener ; il commença de tirer sa barque à l'eau.

Or, justement saint Honorat était venu jouer aux boules avec ses bons amis du Suquet. Il reconnut le diable à distance. Comment l'empêcher, cette fois, de passer la mer ? Il s'adressa à Dieu le Père, là-haut dans son ciel et tout soudain voilà que se lève un mistral, violent, glacé, un vrai mistral de capricorne.

Le pêcheur d'Antibes lâcha les rames qu'il portait vers sa barque, plia les jarrets, s'assit sur ses talons, et, le cou tendu en avant, ne bougea plus.

— Que fais-tu là ? cria le diable.

— Ce que fait tout bon marin : j'observe le temps et ces petites vaguelettes qui n'ont l'air de rien comme ça, regardez comme leur crête blanche est ébouriffée et méchante. Ça prouve que la brise est trop fraîche pour naviguer.

Le pêcheur d'Antibes se tenait immobile, accroupi, le doigt tendu vers la mer.

— Je les trouve, moi, tout à fait ordinaires, ces vagues !

Le pêcheur hocha la tête :

— C'est que vous n'êtes pas marin. Non, je ne pars pas. Ce serait imprudent.

Le diable lui tendit alors une bourse pleine d'or :

— Je te la donne, si tu pars.

Le pêcheur se redressa fièrement :

— Gardez votre or. Je reste au port quand le diable y serait. Nous, les pêcheurs de Provence, on a la passion de la mer, c'est entendu, mais on ne navigue ni quand il y a du mistral parce que c'est dangereux, ni quand il pleut — parce qu'on se sent triste — et ça c'est pire encore.

— Alors vous n'allez en mer que quand il fait beau ? demanda le diable furieux.

Le pêcheur le regarda avec pitié :

— Vous ne comprenez vraiment rien à rien ! Travailler quand la nature est en fête ? Ah, Vaï, quel péché ce serait ! Ces jours-là, nous faisons dimanche du matin au soir.

Et il retourna jouer aux boules avec ses amis. Le diable s'en alla d'un pas rageur vers le cap de la Croisette qui s'avance en mer comme pour toucher les îles d'Or.

Il trouva là un petit homme tout emmitouflé dans son manteau couleur aubergine, qui soufflait dans ses doigts, sans bouger de place malgré le vent glacé. C'était saint Honorat qu'il ne reconnut pas parce qu'il avait relevé son col très haut pour préserver sa tête chauve et qu'il se cachait la bouche et le nez entre ses mains toutes rouges.

— Brave homme, dit le diable, n'y a-t-il pas moyen de passer aux îles d'Or ?

— Par ce temps de loup, il faudrait que le bon Dieu s'en mêle ! dit le saint. On peut toujours essayer.

Le diable trouvait très drôle de se faire aider par le bon Dieu et il accepta sans cérémonie. Saint Honorat se recueillit un instant. Puis il se baissa vers la mer en marmottant je ne sais quoi. Le diable le regardait avec curiosité et se frottait les mains.

Saint Honorat plongeait à présent dans une vague ses deux mains jointes en forme de coupe, les portait pleines d'eau salée à ses lèvres, humait tant que sa bouche en put contenir. Puis, la tête haute et les joues gonflées, il souffla.

Un joli jet d'eau monta dans l'air, s'allongea, se recourba par-dessus le bras de mer et retomba enfin sur l'île à un quart de lieue. À mesure qu'il traçait son arc merveilleux dans l'air, on le voyait blanchir comme du marbre, le mistral glacé le changeait en un pont de cristal tout givré qui étincelait au soleil d'hiver.

Saint Honorat fit au diable un profond salut :

— Votre Seigneurie, dit-il, n'a plus qu'à passer.

Le diable, ravi, monta allégrement la pente de l'arche de glace. Arrivé au milieu, il s'arrête, se retourne pour faire à saint Honorat une petite grimace moqueuse quand, tout à coup, qu'est-ce qui se passe ? La corne de ses pieds,

cuite et recuite par tous les feux de l'enfer, brûlante comme un cul de marmite, est en train de
faire fondre la glace. Le pont se coupe en deux,
s'abat et voilà notre infortuné diable plongé
dans l'eau. Même pas de mer, hélas, mais à
nouveau dans l'eau bénite de la fontaine sous-
marine. Et cette fois, il y mitonnait jusqu'au
cou.

Il se débattait en hurlant si fort que saint
Honorat — qui était un brave saint —, posant
ses pieds sur deux glaçons qui flottaient près
du rivage, s'avança en glissant à la surface de la
mer et vint consoler le diable.

— Promets-tu de ne jamais remettre le pied
sur mes îles d'Or ? demanda le saint en prenant
l'air sévère.

Le diable jura aussitôt, vous pensez bien.
Saint Honorat le repêcha puis le déposa sur le
sable où il se sécha comme il put.

Saint Pierre, qui avait tout vu du haut du ciel,
riait aux larmes en racontant ce bon tour au
bon Dieu :

— Ah, Seigneur, disait-il, c'est un gaillard
redoutable que ce petit saint Honorat ! Vous
savez, s'il n'était pas si saint, il ferait un fameux
diable !

LE DRAC

Une fièvre qui ne lui laissait pas de répit consumait le vieux saint Césaire. Un soir, il voulut aller respirer un peu au bord du Rhône. Il sortit d'Arles par la porte boréale et vint s'asseoir sur la grève de la Roquette, au pied des grands murs où s'adosse la Maison des hommes d'armes.

Un vent violent soufflait dans la vallée. Les vagues du Rhône, dressées sous le mistral, semblaient enragées. Les eaux en crue ressemblaient à un grand troupeau de chats sauvages descendant vers la mer, un vrai troupeau de diables.

L'endroit était solitaire et beau, le fleuve, assombri par la tombée du jour, offrait dans sa violence un spectacle superbe. Saint Césaire s'en voulait d'éprouver pour lui, soudain, un sentiment de crainte, presque de colère.

Il y réfléchit un moment puis, levant la main, lentement bénit le Rhône. L'eau du fleuve se mit alors à bouillonner d'étrange façon.

Une tête aux longs cheveux apparut au ras de l'eau, émergea jusqu'aux épaules. C'était une jeune femme à l'air triste qui, bientôt, sortit entièrement du fleuve et se mit à gravir la berge en pente comme on marche en rêve. Elle s'arrêta près de Césaire :

— La petite chemise de mon enfant est perdue, dit-elle. Le courant l'a emportée. C'est signe de mort. Il faut que je rentre vite. Est-ce que mon enfant va mourir ?

— Il ne mourra pas, voyons, dit Césaire. Ces présages sont de la superstition pure. Il ne faut pas y croire.

— Vous croyez ? dit la femme.

Elle reprit de la même voix lente et lisse :

— J'étais venue ce soir laver mon linge au Rhône. Mon battoir m'a échappé. Je suis entrée dans l'eau pour le reprendre mais le pied m'a manqué sur un galet rond, le courant m'a fait chavirer et m'a roulée pendant une bonne minute : la tête m'en tourne encore. J'ai vu la vie et la mort mêlées ensemble.

Césaire qui la regardait constata alors avec étonnement que les cheveux de la jeune femme flottaient sur ses épaules en boucles légères ni mouillées ni luisantes d'eau ; le vent soulevait sa robe de lin qui ne collait point à ses jambes ; pas une goutte n'en ruisselait sur le sable du chemin.

Césaire crut un moment que sa fièvre le faisait délirer. Puis, comme un passant s'approchait dans la pénombre du crépuscule, le saint homme se tourna vers lui pour s'assurer que

Les cheveux de la jeune femme étaient parfaitement secs, ce qui ne manqua pas d'étonner Césaire.

celui-là n'était pas un fantôme. Car il ne savait que penser de l'étrange jeune femme sortie sous ses yeux du fleuve.

Mais le passant ne regardait pas Césaire. Il fixait sur la jeune femme des yeux effrayés :

— N'est-ce pas toi, dit-il, n'est-ce pas toi, Flore, l'épouse de Genès ?

— Quelle question, répliqua-t-elle avec effort. Es-tu malade ? Ou est-ce moi ? Nous nous sommes vus ce midi encore !

— Sauvez-moi, mon père, cria l'homme à Césaire, sauvez-moi de la folie. Cette femme ressemble étrangement à l'épouse de Genès. Mais Flore est morte, il y a sept ans, un soir qu'elle lavait au Rhône. Le courant l'entraîna et jamais elle n'a reparu. Son mari est devenu à demi fou de douleur et son enfant nouveau-né serait mort si ma femme ne lui avait donné le sein. Mais, depuis sept ans, il n'a pas prononcé une parole et ses yeux, même quand il rit, sont toujours pleins de larmes.

— Je suis Flore, répéta la femme. C'est ce soir que je suis tombée au Rhône. Je ne suis restée au fond de l'eau qu'un quart d'heure, le temps d'allaiter l'enfant du Drac. Il faut que j'aille maintenant donner le sein au mien.

Elle semblait calme, mais malheureuse et inquiète. Césaire et le passant lui avaient pris chacun une main comme pour s'assurer, au battement de son pouls, qu'elle était une personne bien vivante.

Elle les entraîna vers la porte de la ville et s'arrêta à l'une des premières maisons. Elle sembla étonnée par la taille d'une vigne folle qui poussait contre la façade et entourait les fenêtres de son feuillage. Mais elle ne dit rien et entra.

Un homme était assis au coin de l'âtre, les mains pendantes et le regard vide. C'était Genès. Il leva les yeux et frissonna de la tête aux pieds. Il murmura :

— Te voilà enfin, ma Flore. Ils disaient tous que tu étais morte... Mais tu as bien tardé à venir. Comme le temps m'a paru long ! Maintenant tout est bien. Te voilà revenue.

Les deux époux s'embrassèrent si tendrement que Césaire et le voisin en furent tout émus. Ce dernier dit à mi-voix :

— Le pauvre Genès bat encore un peu la campagne mais c'est un homme sauvé, à présent. Flore m'inquiète davantage. Au fait, je vais chercher leur petit.

Il quitta Césaire, revint bientôt, amenant un petit garçon de sept ans dont les yeux mouillés brillaient. Il le poussa vers ses parents. Flore le regarda, le trouva joli et le caressa mais elle dit :

— Et notre enfant à nous, où est-il, Genès ?

— Il doit être dans son berceau où tu l'avais laissé, dit le mari. Celui-ci est venu je ne sais plus quel jour, et, comme il est sage et ne crie jamais, je le fais jouer. Il monte sur mes genoux, il pleure sans bruit et il me semble que je l'aime bien.

Césaire comprit que le malheur n'était pas tout à fait sorti de cette maison et qu'il y avait encore un mystère redoutable à éclaircir. Il savait aussi qu'il faut de la patience en toutes choses. Il dit au voisin :

— Allons-nous-en. Laissons ces pauvres gens réapprendre tout doucement, ensemble, la vie et le bonheur.

Quand il revint le lendemain soir, il espérait trouver réunis Flore, l'enfant et Genès. Mais la maison était vide ou tout comme : seul Genès était là, assis au coin de l'âtre. Il refusa de répondre au visiteur.

Césaire découvrit l'enfant chez le voisin et le voisin lui dit :

— La pauvre Flore n'a pas retrouvé la lumière des yeux. Elle regarde son petit d'un regard qui ne finit plus. On croirait que, derrière lui, elle voit des choses qu'elle ne veut pas dire. Elle ne peut pas tenir enfermée dans sa maison. Elle est partie du côté du Rhône comme si quelque chose lui manquait. Vous devriez y aller voir.

Césaire prit l'enfant avec lui et sortit de la ville. Il aperçut Flore, immobile au bord du Rhône, une corbeille de linge sur la tête. Elle regardait le fleuve et semblait attendre.

Césaire l'observa longtemps, avec une sorte d'angoisse. Il la vit enfin bouger. Du même pas de rêve que la veille, elle approchait des eaux vertes sans cesser de les regarder fixement. Un sourire étrange flottait sur son visage. Soudain, elle leva le bras, d'un geste désespéré et lâcha dans le Rhône un battoir de lavandière qu'elle tenait dans un pli de son tablier : il semblait

56

qu'une force le lui arrachait. Elle se pencha pour le voir flotter et danser puis, d'une démarche vive, elle entra dans l'eau.

Césaire s'élança, la retint par le bras. Elle le regarda comme si elle s'éveillait en sursaut. D'abord il ne lui parla pas. Mais sans lui lâcher la main, il lui souffla doucement au visage. Puis il lui dit à voix basse :

— C'était hier, c'est aujourd'hui. Que s'est-il passé ?

Elle répondit en hésitant puis, de plus en plus vite :

— Mon père, je vous l'ai dit : je lavais mon linge. Le soleil couchant faisait une lueur rouge qui se reflétait sur l'eau, me fatiguait et m'étourdissait. Mon battoir me semblait lourd, lourd et chaque coup que je frappais résonnait dans ma tête. Tout d'un coup, le manche m'a échappé, le battoir est tombé et s'est mis à danser, devant moi, sur l'eau. Mais ce n'était plus mon battoir...

Elle s'arrêta brusquement de parler. Césaire lui sourit pour l'encourager à continuer. Toujours à voix basse il demanda :

— En quoi s'était-il changé ?

Elle le regarda surprise, baissa un peu la tête :

— En une coupe de bois comme en taillent les bergers mais elle me semblait aussi précieuse que si elle avait été en or. Je me suis penchée pour l'attraper, elle a sauté en arrière. J'ai fait un pas dans l'eau. La coupe de bois avait l'air de m'attendre puis elle glissait chaque fois un peu plus loin. Je ne m'apercevais pas que j'avais de l'eau jusqu'aux hanches, jusqu'aux épaules... Quand j'ai trébuché sur un gros galet, j'ai lâché la chemise de mon petit enfant et, à ce moment-là, je me suis réveillée dans un éclair. Mais trop tard. La chemise a flotté un instant, les petits bras en l'air, puis elle s'est enfoncée. On dit que c'est signe de mort. Alors j'ai maudit le ciel.

Elle avait baissé un peu plus la tête. Césaire regardait le fleuve et ne dit rien. Flore continua :

— C'est alors que le courant m'a engloutie dans un bruit de tonnerre et que j'ai vu la vie et la mort mêlées ensemble. Soudain, je me suis retrouvée dans une grotte, au fond du Rhône, sur un lit de sable fin. La lumière était verte et me rendait triste, je ne sais pas pourquoi. Au bout de la grotte il y avait un couloir doré. J'y suis allée et j'ai vu un château en cristal et en aigue-marine, merveilleusement beau.

Elle se tut, parut rêver. Au bout d'un moment, elle reprit :

— Je suis entrée dans le château. Je savais que c'était celui du Drac mais je n'avais pas peur de ses sortilèges. J'avais le cœur engourdi et une force m'attirait, une force incroyable. Je ne pouvais pas lutter. Le Drac venait à ma rencontre. Je voyais ses cheveux d'algues et ses nageoires transparentes et ses yeux couleur d'eau pâle, si pâle, posés sur moi.

Elle répéta, en hochant la tête :

— Je ne pouvais pas lutter.

— Il vous a parlé ? demanda doucement Césaire pour l'aider à poursuivre son récit.

— Oui, dit Flore, et je me souviens de chacune de ses paroles. Il a dit : « Si mon regard te lâchait, tu ne serais plus qu'un cadavre flottant entre deux eaux qui remonterait à la surface, dans huit jours ou dans dix, à cet endroit où les eaux de la mer refoulent le courant du Rhône. Mais si tu soutiens mon regard et si tu veux me rendre le service que j'attends, tu ne seras pas malheureuse ici. » Comme je le regardais de toute mon âme, sans lui répondre, il reprit : « Mon enfant est mort la nuit passée et je me sens mourir tant j'ai de peine. Cependant il peut revivre si une mortelle accepte de lui donner une seule fois le sein. Le veux-tu ? » J'inclinai la tête. Le Drac alla vers un coin de la salle où une fontaine coulait goutte à goutte entre des pierres de diamant. Une coupe en bois achevait de s'emplir. Il me fit boire cette eau. Elle me parut délicieuse mais froide et craquante comme de la neige de montagne. Puis il remit la coupe vide sous la fontaine.

Flore frissonna comme si elle était plongée dans cette même eau glacée. Césaire ne bougeait ni ne parlait, attentif aux mots qu'elle disait avec, à présent, une sorte de fièvre :

— Soudain je vis sur mes bras un petit enfant nu qui semblait fait de glace molle. J'approchai mon sein de ses lèvres et j'y fis couler une goutte de lait. Au bout d'une minute, sa bouche s'était réchauffée, ses lèvres bougèrent comme une petite bête douce et sucèrent mon lait avec une lenteur qui me faisait peur. Son corps devint d'abord argenté puis il se colora de rose et il commença à remuer. Pendant ce temps, la coupe sous la fontaine se remplissait, se remplissait et les gouttes y tintaient, une à une. Je n'en pouvais plus d'impatience. Il me semblait que du temps s'écoulait que je ne pouvais mesurer.

— Sept ans, murmura Césaire.

Flore tressaillit, dit avec violence :

— Non ! Seulement un après-midi ! Je le sais. Soudain, l'enfant du Drac sauta comme une petite carpe, hors de mes bras et disparut en un éclair. Le Drac éclata de rire et courut à la poursuite de son fils. La coupe de bois était pleine. Elle déborda. Alors je revins à la grotte et je sortis du Rhône pour rentrer chez moi. Mais mon petit enfant n'était plus dans son berceau.

Césaire serra plus fort la main du petit garçon qui était resté tout ce temps assis près de lui, regardant Flore de ses yeux toujours embués de larmes.

— Parce qu'il a sept ans maintenant, dit Césaire. Il a fallu sept ans à la fontaine pour emplir la coupe de bois et vous êtes restée sept ans prisonnière d'un maléfice du Drac.

— Sept ans, murmura Flore. Tout ce temps. Mais pourquoi ?

— Pour un présage superstitieux auquel vous avez cru un instant, cru au point de maudire le ciel dans un moment d'égarement. Le

Drac l'a mis à profit et le ciel a laissé faire les démons qui se cachent sous les eaux.

— Ils m'ont donc relâchée? dit Flore. Je croyais qu'ils n'abandonnaient pas aussi aisément leur proie.

— Peut-être vous auraient-ils gardée, en effet, dit Césaire, si je n'avais moi-même été troublé curieusement, hier soir, face aux eaux de ce fleuve et si je ne l'avais, par une inspiration soudaine, béni.

— Que tout cela est étrange, dit Flore. Je ne comprends pas bien encore.

Elle passa sa main sur son front et ses yeux restaient tristes.

Césaire, comme il l'avait fait la veille pour le Rhône, leva la main au-dessus de la tête de Flore et prononça les mots qui exorcisent les esprits mauvais, puis il la bénit et dit :

— Voici votre enfant, votre fils. Prenez-le dans vos bras. Il attend ça depuis sept ans.

Flore sourit, serra contre elle comme une folle le petit garçon dont les yeux brillaient — ce n'étaient plus des larmes mais la joie qui les faisait ainsi.

Ils partirent retrouver Genès.

Le bonheur, cette fois, était rentré dans leur maison.

Le vieux Césaire resta seul, au bord du Rhône, à regarder les eaux tumultueuses rouler sous le mistral et sauter comme des chats sauvages descendant vers la mer.

VIRE, VIRE, PIGNATON !

Il y avait à Cabrolles, dans un coin qu'on appelait le Grep, une vieille femme qu'on appelait la Gripaude. Elle vivait avec son fils. Ce Bénézet était un brave garçon, dur au travail, qui soignait bien sa mère. Un jour, il eut envie de se marier. La vieille, au lieu de se réjouir et de lui choisir une brave jeune fille, se moqua de lui et finit par se fâcher. Elle était habituée à commander, elle attrapait l'argent que gagnait son drôle et n'avait pas du tout envie de céder la place et de rendre les sous.

Bénézet se maria pourtant. Puis, un jour, comme la vieille était jalouse et faisait la méchante, il dit à sa femme :

— Andreloune, il nous faut aller vivre dans une autre maison. J'en ai regret, mais comment faire ?

Et ils quittèrent le Grep et la Gripaude. Après avoir beaucoup crié, la vieille vit qu'elle ne profitait pas au jeu. Elle changea de manière et se mit à pleurnicher en toute rencontre :

— Mes forces s'en vont, je n'arrive pas à faire mon manger, je m'ennuie toute seule le jour, j'ai crainte toute seule la nuit...

Cela n'en finissait plus. Ses jérémiades durèrent des années. Enfin, comme Bénézet et Andreloune avaient deux petites filles jumelles, ils eurent l'idée de se séparer de la plus forte qui s'appelait Gayette, et de contenter la grand-mère en la lui donnant pour compagnie. Gayette n'avait pas encore sept ans mais elle était belle petite et pouvait aider au ménage.

La Gripaude était assez exigeante ; pourtant, elle ne se montrait pas mauvaise avec Gayette comme elle l'avait été avec Andreloune. Elle nourrissait bien l'enfant et l'embrassait volontiers. Mais, souvent, en fourgonnant dans l'âtre, en remuant ses casseroles ou ses balais, avec des gestes brusques, la Gripaude grommelait des paroles que la petite ne comprenait pas et qui la faisaient trembler. Gayette redoutait aussi le coq noir qui était méchant comme un diable et presque aussi grand qu'elle ; il lui volait son goûter entre les mains et lui donnait de grands coups de bec.

Une nuit, Gayette se réveilla et vit sa grand-mère accroupie devant le foyer ; elle avait revêtu un sac couleur de poussière, percé de trois trous pour la tête et les bras. Les reflets de la braise faisaient danser du rouge sur son nez crochu et son menton. Ses yeux étaient cerclés de deux sillons noirs, aussi noirs que les anneaux de la crémaillère.

Gayette crut d'abord que sa grand-mère préparait une fouace à l'anchois pour le dîner du lendemain qui était un dimanche. Une drôle de fouace ! Il n'y avait presque plus de feu et la vieille n'avait devant elle qu'un pot de terre ébréché pas plus haut que ça. Elle tenait de la main gauche un pinceau et elle le promenait tout autour du pot en chantant de sa voix cassée :

« Vire, vire, pignaton !

« Mets-moi où les autres sont ! »

Juste à ce moment, elle disparut. Gayette se trouva seule avec le feu qui acheva de s'éteindre. Elle se sentit glacée et se pelotonna sous ses couvertures, n'osant ni bouger ni souffler. De temps en temps, elle guettait la cuisine du coin de l'œil. De toute la nuit, elle ne put trouver le sommeil. Enfin, le matin, au premier coup de l'angélus, elle entendit un bruit de feuilles mortes ou de paille remuée ou de balai qui frotte : Hhouche ! Et voilà la grand-mère qui reparaît.

Gayette n'osa rien lui dire et fit semblant de dormir. Comme tous les dimanches, elle partit de chez la vieille après avoir mangé pour aller embrasser ses parents et jouer avec sa sœur. Aussitôt arrivée, elle courut trouver sa mère et se mit à pleurer :

— Je ne veux plus rester chez mémé. Elle me laisse toute seule la nuit : j'ai peur ! Elle s'assied devant le feu, elle chante des choses et elle s'en va de là sans se lever et ça éteint le feu comme une chandelle !

La mère ne comprenait pas. Elle prit la petite

par la main et décida de monter au Grep pour parler à sa belle-mère. Quand celle-ci eut entendu l'histoire, elle devint toute pâle et se mit à couvrir Gayette de caresses. Elle lui donna un morceau de pâte de coing, et lui dit que rien de tout cela n'était vrai :

— Tu as fait un mauvais rêve, ma pauvre colombe ! Comment veux-tu que ta grand-mère t'abandonne, elle qui t'aime tant ! Et pour aller où ? Je te le demande : que peut-on faire à mon âge, toute une nuit hors de chez soi ? Ah, quelle peine tu me fais, ma mignonne !

Et elle versa quelques vilaines larmes. Andreloune sentait à la fois de la pitié et un peu de dégoût. Elle sermonna Gayette, trouva des mots pour la faire rire et s'en retourna.

Tout alla bien jusqu'au samedi suivant. Ce soir-là, la petite se coucha sans penser à rien. À minuit, elle fut de nouveau réveillée par les grimaces de la vieille ficelée dans son sac couleur de poussière. Gayette l'entendit très bien qui chantait :

« Vire, vire, pignaton !
« Mets-moi où les autres sont ! »

Et, de nouveau, la grand-mère disparut. Cette fois, Gayette ne se cacha pas sous ses couvertures. Elle sauta du lit et courut à l'âtre, pieds nus. Elle attrapa le pinceau et frotta le pot de terre avec la touffe de poils ébouriffés en chantant de sa petite voix :

« Vire, vire, pignaton !
« Mets-moi où les autres sont ! »

Un tourbillon froid l'enveloppa et lui fit fermer les yeux, puis passa. Elle regarda autour d'elle : elle se trouvait perchée à la fourche d'un gros noyer, au-dessus du cimetière. La lune cornue brillait au milieu du ciel. En cercle, sous le noyer, une foule de gens étaient assis par terre. Gayette était bien malheureuse, en chemise de nuit dans les branches, avec ses pieds nus sur l'écorce rugueuse du vieil arbre. Surtout, elle n'osait pas regarder les tombes blanches, au fond de l'ombre et tous ces matagots[1] assemblés.

Juste au-dessous d'elle, au pied du noyer, se tenait seul debout, un seigneur vêtu d'une soie violette qui luisait comme si elle avait été mouillée. Il cassait des noix entre ses dents et Gayette frissonnait à les entendre craquer. Il lui semblait que les os des morts n'auraient pas craqué autrement dans la gueule du diable.

Le seigneur demanda soudain :

— Toi, la vieille du Grep, où te caches-tu donc ? Fais-nous voir ton nez !

Un sac couleur de poussière bougea dans un rayon de lune et se dressa. Gayette, épouvantée, reconnut le visage de sa grand-mère et ses bras maigres tout nus.

— Eh bien, reprit l'homme en violet, nous apportes-tu ce soir le cœur de ton coq noir ?

— Pas encore, seigneur. Je n'ai pas pu l'attraper. Mais... mon coq est si beau : ne pourrait-on pas en trouver un autre ?

— Tu as reçu un ordre, obéis ! Si, pour la

---

1. Matagot : follet ou chat-sorcier.

Gayette, en chemise de nuit dans les branches de l'arbre, était terrifiée du spectacle.

mi-carême, nous n'avons pas ce cœur de coq, nous ne pourrons pas guérir le fils du seigneur de Roquebrune.

— Que le petit seigneur étouffe, éclate ou sèche, voilà qui m'est bien égal !

— À moi aussi ! Mais si son fils meurt, le comte de Roquebrune a juré de faire couper la tête à mon frère l'astrologue qui, en secret, a jeté un sort à l'enfant et ne sait plus comment s'y prendre pour le rompre !

— Cela ne me rendra pas mon beau coq !

— Assez ! Ta désobéissance est un exemple détestable et je vais t'assouplir l'échine ! Demain nous ne pouvons rien, c'est dimanche, mais, après-demain matin, tu te changeras en une grosse racine sur le chemin de Castillon. Ton fils doit passer par là pour se rendre dans la montagne. Sa mule butera sur toi et il se cassera le cou. Ce sera ta punition pour ne pas m'avoir obéi et, attention à toi, si, cette fois, tu n'exécutes pas mon ordre, je te dénonce comme sorcière et tu seras brûlée vive.

La Gripaude ne répliqua rien. Elle savait bien qu'elle était forcée d'obéir, liée qu'elle était par son pacte. Et elle aimait mieux tuer son coq et son fils que d'être brûlée.

L'homme en violet interrogea ensuite tous les matagots les uns après les autres et leur donna ses ordres. Puis le conseil fut levé et la fête commença. Ils se prirent tous par la main et se lancèrent dans une grande farandole à travers le cimetière, courant, sautant sous la lune sans faire le moindre bruit. Comme les poissons de roche qu'on voit frétiller sous l'eau quand on pêche au flambeau.

Tout à coup, le chant d'un coq déchira le silence. La campagne se vida comme sous un grand coup de balai. Gayette se sentit de nouveau enroulée, emportée par une bourrasque froide et elle se retrouva debout devant la cheminée. La grand-mère était debout à son côté. Le feu était mort. On y voyait à peine. D'un air soupçonneux la vieille demanda :

— Que fais-tu là ?

— Il m'avait semblé que vous vous débattiez... que vous vous plaigniez... en dormant ! Je venais voir si vous voulez quelque chose : de la tisane ?...

— Tu es bien mignonne. J'ai seulement attrapé une crampe dans la jambe. Ce n'est rien. Le froid de la pierre me fait du bien. Mais va te recoucher. En chemise comme te voilà tu prendrais mal.

Gayette se recoucha mais ne put dormir. Elle se leva de bonne heure et, dès que la Gripaude le permit, elle courut chez sa mère. Elle se mit à pleurer et lui raconta tout. Andreloune, cette fois, ne crut pas à un mauvais rêve. Elle frissonna d'horreur et serra Gayette dans ses bras. Elle arrêta un voisin qui montait :

— Vous passerez chez ma belle-mère. Vous lui direz, s'il vous plaît, que la Gayette a les trois sueurs et que je la garde un jour ou deux.

Puis elle promit à l'enfant que tout irait bien et elle l'envoya jouer avec sa sœur. Elle pensa qu'il ne fallait rien dire à son mari tant qu'elle ne pourrait prouver la méchanceté de la vieille. Et elle fit son plan.

Le lendemain lundi, Bénézet devait épierrer une claparède dans la montagne. D'habitude il allait seul avec la mule et à midi Andreloune lui portait la soupe. Comme il s'apprêtait à partir, elle lui dit :

— Puisque Gayette est là, nous laisserons les deux petites ensemble à la maison. Elles se feront compagnie, à table comme deux dames, ça les amusera. Et moi, j'irai avec toi et je verrai Castillon. Je te ferai la soupe en plein air. Ça me reposera du ménage.

Bénézet accepta gaiement et ils partirent. Mais il fut bien étonné de voir qu'elle ne voulait pas monter sur la mule et l'obligeait à monter lui-même.

— Je ne suis pas tranquille sur cette grande carcasse, disait-elle. Elle est ombrageuse comme une pouliche et puis elle a le pas sec et ça me rompt les reins. Profites-en, toi, qui as l'échine solide, tu auras à bûcher tout le jour. Moi, je n'aurai presque rien à faire que de filer ma laine.

Ils firent donc route comme elle le voulait. En riant, elle chargea même la pioche sur son épaule et de la main libre elle tenait le bridon de la mule. De temps en temps, par jeu, eût-on dit, elle donnait un coup de pioche dans les grosses racines que les chênes-lièges et les yeuses envoyaient en travers du sentier.

Bénézet la regardait faire en riant lui-même :

— Quelle folle tu fais ce matin ! Tu vas te mettre en nage, pauvre Andreloune !

En nage, elle l'était et tout essoufflée quand ils approchèrent de la claparède. Déjà, elle soupirait d'aise et se croyait au bout de ses peines quand, soudain, elle vit à ses pieds une lourde racine noueuse. Zang ! elle y porta un grand coup de pioche qui en fit sauter la moitié. La mule eut peur et fit un écart. Ce fut tout.

Ils passèrent une bonne journée dans la montagne et quand ils revinrent, un voisin les guettait devant la maison :

— Ta mère est malade, dit-il à Bénézet. Elle demande que Gayette revienne pour la soigner.

— Jamais de la vie ! Si quelqu'un monte, ce sera moi ! fit la jeune femme d'un ton si brusque que son mari en fut tout surpris.

Le voisin parti, elle reprit :

— Je monte, et il faut que, toi aussi, tu viennes.

Il s'étonna un peu plus mais ne posa pas de question et la suivit. Ils trouvèrent la vieille au lit. Elle avait le visage tout rouge et soufflait comme un sanglier.

— Qu'as-tu ? lui demanda son fils. Comment est-ce venu ?

Elle essayait de tourner le visage contre le mur et ne voulait pas répondre. Ah, elle aurait bien mieux aimé avoir affaire à un petit oiseau comme Gayette ! Mais sa bru la tenait à l'œil : elle lui posa la main sur le front d'abord, puis sur le cœur. La Gripaude se mit à crier comme une brûlée. Puis elle dit avec rage :

— Vous, d'abord, ne me touchez pas !

Elle ajouta en se tournant vers son fils :

— Renvoie-la. Ce n'est pas une maladie, c'est un accident. Je crois que j'ai les côtes enfoncées.

— Auriez-vous fait une chute ? reprit Andreloune d'un air innocent.

Du coup, la vieille éclata :

— Elle me demande si c'est une chute ! Elle ose parler, cette coquine, quand c'est elle qui est cause de tout ! Racontez à votre mari ce que vous avez fait, sorcière ! Vous m'avez envoûtée !

Seulement, Andreloune en savait plus long que la vieille n'aurait voulu. Elle expliqua à son mari, non seulement le mystère de la pioche, mais la menace de mort qui avait pesé sur lui et à laquelle sa mère s'était prêtée sans ouvrir le bec, bref tout ce que Gayette avait entendu et vu sous le noyer.

Bénézet fut atterré. La Gripaude n'essayait même pas de nier. Elle râlait bruyamment. Une heure après, elle était morte. On l'enterra sans cérémonie.

Ils rentrèrent dans leur maison. Gayette se précipita :

— Père, n'oubliez pas. Le petit seigneur du château va mourir. Il n'y a que la médecine des matagots qui puisse le tirer de là. Comment faire ?

Bénézet hésita longtemps puis il se décida. Il monta chercher le coq noir du Grep, le tua, l'ouvrit en deux et lui enleva le cœur. Mais ses cheveux se dressèrent sur sa tête : arraché qu'il était, le cœur continuait à battre.

Alors Bénézet courut dehors, l'accrocha toujours battant sur un buisson d'aubépine. Il l'y laissa toute la nuit sous la pleine lune. Au lever du jour, il vit que le cœur, sur les fleurs blanches, avait cessé de battre. Il dit à sa fille :

— J'ai bien pensé à ce que tu me disais hier, ma Gayette : c'est une médecine de sorciers. Je ne veux pas la faire parce que, si je devais la réussir, je pourrais y perdre mon âme. Mais toi qui n'as que sept ans et qui as le cœur pur, mon angeloune, enveloppe dans une feuille de jusquiame ce cœur noir qui ne bat plus et porte-le au petit seigneur. Il suffira qu'il le prenne dans sa main pour être guéri. Mais ne dis à personne ce que tu portes et ce que tu veux faire, car on t'empêcherait de passer.

— Je n'oserai jamais y aller ! dit Gayette.

— Que si. Tu chanteras pour te donner du courage. Tous les Noëls que tu connais, sans t'arrêter, sans répondre si on te questionne, rien que chanter. Comme ça, on te croira un peu simplette et on te laissera passer. Chante jusqu'au moment où le petit seigneur sera sauvé. Commence tout de suite.

Gayette commença donc à chanter tout en enroulant le cœur dans une grande feuille de jusquiame, velue et molle comme une peau de chat. Puis, bravement, elle partit.

Elle chanta sans s'arrêter, un Noël après l'autre. Les gens qu'elle croisait riaient et les bergers sur les collines l'interpellaient :

— Où vas-tu ainsi, cheminant seulette ?

Pour toute réponse, elle chantait.

Elle arriva à la porte du château de Roquebrune. Une sentinelle armée, vêtue de rouge, l'arrêta :

— On n'entre pas ici, petite.

Elle lui fit un sourire si clair en continuant à chanter de sa voix de fauvette si plaisante à entendre que le garde la laissa passer.

Elle poussa une porte et se trouva dans le salon du seigneur de Roquebrune. Le seigneur était assis, l'air accablé, tenant son front dans ses mains. La Dame, elle, pleurait. Gayette en eut le cœur serré. Quand ils entendirent son pas et son chant, ils levèrent la tête. D'abord, cette petite fille, avec sa musique, leur parut folle. Et d'où pouvait-elle venir ? Mais, comme elle était jolie et douce, ils furent pris par son charme. Ils se levèrent lentement et la suivirent.

Gayette fit le tour des appartements, cherchant la chambre du petit seigneur. De pièce en pièce, un cortège se formait derrière elle : les gens, frappés d'enchantement, marchaient sans bruit pour entendre sa voix pure.

Enfin, elle arriva auprès du petit seigneur. Il était pâle et immobile dans un grand lit aux rideaux de cuir. L'astrologue se tenait à côté, raide comme un crocodile et les sourcils froncés. Il avait peur.

Gayette déroula la feuille de jusquiame. En la voyant faire, l'astrologue devina qu'elle apportait le cœur de coq et se jeta sur elle pour le lui arracher.

74

Mais Gayette ne se laissa pas faire. Elle échappa à l'astrologue et courut tout autour de la pièce. Les gens la suivaient des yeux avec surprise et commencèrent à regarder avec inquiétude, avec colère, ce grand diable d'astrologue qui la poursuivait avec tant de rage. Il comprit qu'il fallait renoncer. Il était blême et tremblant.

Gayette s'approcha du lit et leva le cœur du coq noir vers le petit seigneur qui semblait mort. L'air se mit à sentir la fleur d'aubépine. À tâtons, le malade prit le cœur et le serra dans sa main. Il sentit quelque chose de froid se mettre à palpiter comme un oiseau prisonnier qui se débat. Il tressaillit, ses doigts lâchèrent ce qu'il tenait : une fauvette à tête noire s'envola en chantant. Le petit seigneur ouvrit les yeux et la suivit du regard : elle disparut par la fenêtre dans le grand soleil de midi.

Gayette achevait de chanter le Noël qui commence ainsi :

« L'ange qui porte la nouvelle
« Aux bergers dessus le coteau... »

Elle respira juste une seconde. En secouant ses cheveux noirs, elle dit au petit seigneur :

— Oh que je suis contente que vous soyez guéri !

Le petit seigneur répondit avec malice :

— Et moi, que je suis content que tu ne sois pas folle !

Il bondit de son lit et s'écria :

— Connais-tu ce Noël-ci ? « Quand les douze coups sonnaient, j'ai sauté du lit au sol, j'ai vu un bel ange qui chantait mille fois plus doux qu'un rossignol ! »

Et il l'embrassa. On prit l'astrologue et on le pendit. Plus tard Gayette devint dame de Roquebrune en épousant le jeune seigneur.

« Il y eut riche noce et grand banquet
   Et moi j'étais assis sur le parquet
   Je n'eus qu'une noix creuse et un os qui
                                    craquait. »

LA TARASQUE

En ce temps-là, une immense forêt couvrait les deux bords du Rhône entre Arles et Avignon. Il y avait des chênes verts énormes, des fourrés de lentisques et de cade, si enchevêtrés, si épais, qu'il faisait sombre même en plein jour.

Les arbres ne s'espaçaient qu'autour des bras du Rhône et auprès des étangs innombrables aux abords de la mer. Des prairies mouvantes flottaient sur la vase, des herbages salés que courbaient les coups de boutoir du mistral.

Dans ces lieux humides, dans le secret des roseaux, vivait un monstre amphibie venu du pays d'Asie, qu'on disait né du Léviathan et de la Bounge : la Tarasque.

C'était une bête effrayante. Elle avait une tête de lion et une longue crinière noire. Son corps couvert d'écailles se hérissait d'épines. Ses six pattes tordues portaient des ongles d'ours. Elle traînait derrière elle une queue de serpent, énorme et oscillante.

Lorsqu'elle remontait un bras du fleuve, elle l'obstruait tout entier de sa taille gigantesque. Les eaux refluaient, la navigation s'arrêtait. Mais, quand elle plongeait pour fouiller la vase, c'était pire car elle remontait si soudainement à fleur d'eau, dans des remous si épais et si troubles, que les barques chaviraient. Alors la Tarasque les engloutissait d'un coup ou les broyait entre ses mâchoires aux dents tranchantes comme des épées.

Elle poursuivait les naufragés dans l'eau et sur les berges, traînant son ventre flasque avec un bruit de torrent.

Elle pourchassait également troupeaux et bergers, parfois même jusque sous les murs du bourg fortifié de Jarnègues, en bordure du Rhône, là où s'espaçait la forêt. Le raclement de ses écailles sur les galets annonçait son approche aux habitants terrorisés : « La Tarasque ! La Tarasque ! »

Du haut des portes, les gardes lui lançaient des flèches, des javelots, précipitaient sur son dos leurs masses d'armes et tout ce qu'ils avaient sous la main. Mais la Tarasque méprisait le fer comme s'il s'agissait de poignées de feuilles et l'airain comme un bois pourri : les pierres des frondes et les boulets des balistes étaient pour elle de la paille sèche qui vole.

Nul, bien entendu, n'aurait songé à l'affronter dans son domaine, les bois ou le marais. Et l'on n'imaginait pas quelle ruse pourrait venir à bout de sa malice.

Soudain, au bout de sept ans, on cessa de la

voir. Pendant tout un mois, les pauvres habitants se crurent débarrassés d'elle par miracle. Cependant, un beau jour, dans un des marécages favoris de la Tarasque, un chasseur égaré sentit une affreuse odeur : il vit sur l'herbe jaunie et comme cuite, une dépouille gigantesque, toute plissée, noirâtre. Il crut la Tarasque morte et, tout joyeux, planta son épieu dans ce qu'il pensait être son cadavre. Mais le fer ne fit que crever une peau vide et pénétra sans résistance, comme dans de l'eau. C'était la mue de la Tarasque qui venait de faire peau neuve et courait déjà la campagne, affamée.

— Il aurait fallu, pensa l'homme, profiter de sa fièvre et l'attaquer pendant qu'elle muait. Trop tard, maintenant.

Les habitants guettèrent la prochaine mue, bien décidés à fouiller campagne et marais dès qu'une nouvelle disparition de la Tarasque annoncerait qu'elle allait changer de peau.

Sept ans passèrent encore. Enfin, un beau matin, plus de monstre. Chacun se mit à sa recherche. Mais, quand on eut trouvé le marécage où la mue avait lieu, personne ne put approcher tant la chaleur et l'odeur dégagées par la Tarasque étaient épouvantables.

Ils en furent réduits à regarder de loin la Bête se tordre et se débattre en remplissant l'air de grondements. Pourtant la vue de l'énorme monstre cloué au sol pendant toute une grande semaine et réduit par là même à l'impuissance donna une idée aux gens.

Il y avait, non loin d'Avignon, dans les

marais de la Sorgue, un lieu désert appelé le Thor. Là s'étendait une nappe de boue si profonde et si tenace qu'elle engloutissait tout ce qui s'y posait, lièvres, oiseaux ou feuilles. Les pierres qu'on y lançait par jeu s'y enfonçaient avec une lenteur terrible et sûre. Si un homme, s'écartant par malheur du chemin s'y aventurait, la boue lui happait le bras, la jambe, le corps entier, l'aspirant dans ses profondeurs gluantes.

Les habitants de Jarnègues pensèrent donc qu'ils pourraient faire aller la Tarasque jusqu'à ce désert marécageux du Thor. Voilà le stratagème qu'ils imaginèrent : lier à des piquets, espacés le long du chemin, des chiens, des chèvres, des ânes, qu'elle dévorerait l'un après l'autre, attirée de proche en proche par leurs cris de terreur. Quand elle arriverait au champ de boue, elle y trouverait un dernier appât, placé au centre du bourbier : un jeune taureau de Camargue qu'on aurait fait glisser là et qu'on maintiendrait en l'air par quelque engin.

Ainsi fut fait.

La Tarasque, alléchée par les proies offertes, arriva bien vite aux confins du Thor. Mais, hélas, avertie par sa malice diabolique, elle flaira le piège, s'arrêta au bord du terrain mouvant. D'un formidable coup de queue, elle faucha le pin le plus proche qui tomba dans le bourbier et fut englouti tout entier en quelques minutes.

Pendant ce temps, la Tarasque avait saisi entre ses mâchoires la corde qui avait lié les bêtes les unes aux autres et tirait dessus avec la force d'une avalanche. On vit alors une chose inouïe : pour la première et la dernière fois, le gouffre du Thor lâchait sa proie.

Le taureau, déjà à demi enseveli, émergea lentement et glissa sur la vase comme une anguille harponnée.

Quand il fut sur l'herbe sèche, la Tarasque le dévora. Puis elle s'en retourna vers le Rhône.

Les habitants, désespérés, regagnèrent leurs hameaux et le bourg de Jarnègues. Leur malheur dura encore de longues années et ils avaient fini par se résigner lorsque survint un événement merveilleux que voici.

En Palestine, après la mort de Jésus, avaient commencé des persécutions contre ses anciens disciples. Un jour, Marie-Madeleine, et Lazare son frère, et Marthe, leur autre sœur, suivis de Marie Jacobé, Marie Salomé et des servantes, Marcelle et Sara, furent jetés dans une barque qui n'avait ni rames ni voiles, ni gouvernail ni, pour ainsi dire, de fond tant elle était crevassée de partout. Lancés en pleine mer, leur mort était certaine.

Mais Lazare jeta son manteau sur la barque. Marthe et Marie-Madeleine le déployèrent au vent. Cela gonfla comme une voile et la barque se mit à glisser sur la mer.

Elle glissa sept nuits et sept jours, sans prendre l'eau de nulle part, ce qui était un bien grand miracle. Et elle arriva enfin en vue des îles Stoechades qui, depuis, ont fait la Camargue.

Ils débarquèrent tous — et ce lieu s'appela

ensuite les Saintes-Maries-de-la-Mer ; ils s'abritèrent pour la nuit sous le porche d'un temple, couchés à même la pierre. Le lendemain, ils se séparèrent.

Avec sa servante Marcelle, Marthe se mit à remonter la vallée du Rhône, à travers campagnes et bois. C'est alors que les malheureux habitants de Jarnègues et des hameaux environnants, ayant appris que Marthe faisait des miracles, la supplièrent de les délivrer du monstre qui les terrorisait depuis si longtemps.

Marthe, émue de leurs prières, entra dans la forêt. Elle avançait, toute seule, dans sa robe blanche, pieds nus, si frêle, si désarmée que chacun, tout bas, tremblait pour elle.

Le bruit que faisait la Tarasque guida Marthe. Elle aperçut l'énorme bête achevant de dévorer un jeune poulain sauvage échappé de Camargue.

Quand la Tarasque vit Marthe, elle mugit avec une joie épouvantable : une nouvelle proie s'offrait. Elle se dressa sur ses pattes de derrière dont les griffes d'ours labouraient le sol. Sa queue, battant d'impatience, fit écrouler un amas de rochers, dans un grand nuage de poussière. Elle se rua vers Marthe, et le sol tremblait sous son poids.

Marthe, alors, leva la main et fit sur la Tarasque le signe de la croix. Aussitôt, l'élan de la bête monstrueuse se brisa net, comme une vague heurtant la falaise.

La Tarasque s'arrêta en tressaillant, clouée au sol. Elle pantelait, tout son corps semblait

Marthe leva les bras et fit un signe de croix sur la Tarasque.

bouillonner. Marthe, sans s'émouvoir, leva encore la main, refit le signe de la croix et la folle fièvre de colère impuissante qui assaillait la bête s'apaisa. Comme une eau écumante retombe et s'étale.

Marthe dénoua sa ceinture qui était bleue, couleur de mer paisible. Elle la prit par les deux bouts, la fit doucement voler en avant, comme on passe la bride à un cheval.

La Tarasque baissa la tête et, par-dessus la crinière noire, la ceinture bleue retomba sur son cou. Elle se laissa faire, plus douce à présent que l'agneau, et elle suivit Marthe qui souriait.

La porte fortifiée du bourg de Jarnègues était grande ouverte. Tranquillement, Marthe tenant en laisse la Tarasque s'y engagea. Ce fut un beau tumulte ! D'abord une fuite, un effroi, des cris... Puis, une explosion de joie soudaine dans de nouveaux hurlements. Marthe en était tout assourdie !

Elle poursuivit sa marche jusqu'à la grande place, la Tarasque suivant toujours. Et là, les gens, voyant qu'ils n'avaient plus à craindre le monstre, se vengèrent de tout ce qu'ils avaient souffert et ils tuèrent la Tarasque qui ne se défendit pas.

C'est depuis ce jour-là que le bourg de Jarnègues a pris le nom de Tarascon.

LE PÈLERINAGE DES ALISCAMPS

Quand saint Paul, quittant Rome, se rendit en Espagne pour y répandre la bonne nouvelle, il traversa la Provence. Il la trouva si belle qu'il eut du regret de la laisser derrière lui, livrée encore aux superstitions païennes. Il commanda à son disciple Trophime de rester pour évangéliser le pays entre Alpes et Rhône, Durance et mer.

Pendant des mois, un bâton d'olivier à la main, Trophime s'en alla de village en village, à travers les collines de pierres sèches où le vent fait voler l'odeur du thym, à travers les pâturages étoilés d'iris jaunes et les vallons où se cache l'eau.

Les gens ne le recevaient pas mal. Parfois, ils étaient pauvres mais pourtant ne vivaient pas malheureux. Presque tous étaient gais et de manières aimables. Ils écoutaient Trophime qui venait d'Orient et parlait comme un poète. Ils le faisaient asseoir à leur table et partageaient volontiers avec lui leurs olives, leurs fromages de chèvre, leurs figues à goût de miel et l'eau de leurs fontaines, si bonne à boire dans les tasses de cyprès.

Peu à peu, lentement, d'étape en étape, du Castelet à Pierrefeu, de Trébousille à Maguelonne, Trophime évangélisa tout le pays.

Arles fut sa plus belle conquête, Arles dont le nom gaulois, Arélas, voulait dire : pays des étangs. Arles du bord du Rhône, blanche en toutes saisons.

Trophime aimait beaucoup cette ville qui n'était encore qu'un gros bourg dont les vagues de la mer venaient alors battre les murs. Et, lorsqu'il sentit qu'il allait mourir, il s'aperçut qu'il avait donné tout son amour et tout son temps aux vivants et qu'il n'avait rien fait pour la paix des pauvres morts.

Alors il monta sur la colline des moulins à huile, du côté du soleil levant, parmi les pins et les micocouliers d'où l'on voyait en contrebas miroiter les eaux du Rhône et les étangs paisibles. Il décida que cette colline serait désormais le lieu où reposeraient les morts et lui donna le nom d'Aliscamps. Peu de temps après qu'elle eut été consacrée par tous les évêques réunis, Maximin d'Aix, Eutrope d'Orange, Saturnin de Toulouse et jusqu'à Martial de Limoges, Trophime mourut et fut enterré aux Aliscamps.

Dès lors, la renommée de ce lieu ne cessa de croître. Il semblait aux gens que reposer là après leur mort était une promesse de salut éternel. On y porta l'enfant Vivien tombé en combattant les Sarrasins et le comte Bertrand et tous les neveux de Guillaume d'Orange et Guillaume lui-même, le comte au Fier Bras.

Les montagnards voyaient passer, venant d'Italie ou d'Espagne, tout raides sur leurs destriers, les corps des seigneurs morts à la bataille, soutenus par leur cuirasse et les hautes touffes de buis liées sur leur selle contre leur poitrine et leur dos. Sur le Rhône, des barques plates, drapées de noirs, transportaient, jour et nuit, les morts de Tarascon, d'Avignon, de Valence, de Vienne.

Les riverains trop pauvres pour supporter la dépense de ces coches d'eau lançaient au fil du fleuve les cercueils contenant les restes de ceux qu'ils avaient aimés après avoir enduit tous les joints des planches avec du bitume comme on fait aux bateaux. On clouait au pied un petit sac contenant quelques pièces pour les veilleurs des Aliscamps qui venaient tirer la bière sur la grève lorsqu'elle parvenait face à la colline. Et ils disaient aussi les dernières prières sur la tombe nouvelle qu'ils creusaient alors.

La vénération était telle que personne n'osait dévaliser ces pauvres barques de leurs pauvres oboles. Sauf une fois, une seule. Voici comment.

Il y avait à Pontevès dans les montagnes du haut Argens, deux frères jumeaux, Sauvaire et Fortunat qui avaient vieilli côte à côte, ne s'étant mariés ni l'un ni l'autre. Leur maison n'avait qu'une pièce et leur jardin, un seul noyer mais quel arbre ! On racontait que le jour de leur naissance, trois quarts de siècle plus tôt, une corneille blanche avait laissé tomber là une noix prise aux Aliscamps. Car c'était alors la coutume de planter des noyers dans les cimetières, voilà pourquoi les bonnes femmes disent encore de nos jours que l'ombre des noyers est plus froide que toute autre et qu'elle fait mourir celui qui s'y endort après de rudes travaux.

En tout cas, la noix apportée par la corneille était devenue un arbre aussi gros en dix ans qu'un noyer centenaire. Il portait des fruits énormes, des noix aussi grosses que des coings ou même que des pommes de pin.

Sauvaire et Fortunat en tiraient la plus fine des huiles dont ils vendaient une partie, gardant pour eux juste de quoi graisser les salades de leur jardin.

Ils vécurent de longues années. Puis, un jour, Sauvaire mourut de vieillesse et le vieux Fortunat, désolé, voulut qu'il reposât aux Aliscamps. Transporter le corps par la route, il n'y fallait pas songer. C'était un voyage de trente lieues dont la moitié par de mauvais sentiers de montagne et la dernière partie à travers le désert brûlant et pierreux de la Crau. D'ailleurs les deux frères étaient pauvres. Ils ne possédaient ni cheval ni mulet.

Restait le Rhône qu'on pouvait atteindre par le col de la Curnière, les gorges du Verdon et la Durance. Là, Sauvaire n'aurait pas besoin d'escorte.

Fortunat abattit un mûrier, creusa le bois en forme d'auge, y plaça en pleurant le corps de son frère et scella le couvercle avec de la résine.

Dans une pochette de cuir fixée au cercueil il glissa quatre deniers d'argent pour les funérailles. Et, comme il n'avait plus de quoi acheter des cierges, il vida quatre coques de noix, les colla avec de la poix, à la tête, aux pieds et aux deux côtés du coffre, les remplit d'huile et plaça une mèche dans chacune.

Puis il alla demander aide à quelques voisins pour porter la caisse jusqu'au Verdon. Ils se récrièrent :

— Tu n'y penses pas, pauvre Fortunat ! le torrent n'a plus d'eau en cette saison ! Jamais le cercueil de ton frère ne flottera !

Fortunat s'entêtait :

— Peut-être que saint Trophime fera un miracle !

À la fin, les voisins cédèrent. À six compagnons, ils chargèrent le mort sur leurs épaules et partirent courageusement car, au cœur de l'été, la traversée de ces montagnes est un rude calvaire et il faut chercher le peu d'ombre au pied des rochers. Tout de même, comme une annonce de miracle, de petites cascatelles ruisselaient sur des pentes d'ordinaire à sec. Au milieu de sa peine, Fortunat en avait le cœur empli d'espoir. Et, de fait, quand ils parvinrent, vers le soir au bord du Verdon, l'eau coulait à plein bord avec un gros bruit doux entre ses murs de pierre vive.

Fortunat alluma les quatre petites lampes en coques de noix. Les compagnons posèrent doucement sur l'eau la barque de mûrier qui se mit à descendre vers la Durance.

Elle navigua toute la nuit et toute la journée suivante, passa Sainte-Maxime, la tour d'Esparon et Gréoux, puis, sur la Durance, Saint-Paul, Saint-Christophe, l'abbaye de Silvacane, Malemort et Orgon et Rognonas qui monte la garde devant Avignon. Elle n'avait plus qu'à descendre le Rhône.

La deuxième nuit du voyage commença. Les petites lampes brûlaient toujours. Le niveau d'huile ne baissait même pas. Sur le rivage, les gens faisaient le signe de croix en voyant glisser dans les ténèbres ces quatre lumières insoucieuses des coups de vent.

Mais, comme la barque passait devant Beaucaire, elle attira l'attention de deux voleurs qui profitaient de la nuit pour vider de leurs poissons les filets tendus en travers du courant par un pêcheur d'aloses. Ils savaient que chaque mort avait sa petite bourse et, sans craindre le sacrilège, décidèrent de piller celui-là qui passait à leur portée.

Ils reprirent leur barque et rattrapèrent l'arche de Sauvaire dans un petit bras du Rhône caché entre deux îles dont l'une s'appelait Matagot. En quatre coups de rames, le plus vieux des voleurs écrasa les coquilles de noix. Le mort continuerait aussi bien son chemin dans le noir, comme les chats ! Les petites flammes argentées se détachèrent comme des pétales de roses et montèrent se perdre dans le feuillage des saules, nombreux en cet endroit. D'un tour de main, les voleurs arrachèrent le sac de cuir contenant les quatre pièces d'argent et relancèrent la barque vers l'aval.

La barque, avec ses quatre petites lumières, attira l'attention de deux voleurs.

Quelques heures plus tard, elle arriva devant la Roquette d'Arles et, soudain, s'arrêta dans le courant. Les remous du fleuve l'enveloppaient d'un bruit froid de draps mouillés, et leurs flots la heurtaient comme une pile de pont bien enracinée. Le jour venu, les veilleurs des Aliscamps l'aperçurent et ramèrent dans sa direction afin de la tirer vers le rivage. Mais, quand le flanc de leur bachot la toucha, elle se dégagea comme une anguille vous glisse des mains et, par saccades, fila contre le courant. Eux ramaient de toutes leurs forces pour la rejoindre et, chaque fois qu'ils pensaient l'atteindre, elle fuyait plus amont, comme par jeu.

C'était un tel prodige que, sans souci de leur fatigue — car la force du Rhône, ici, est redoutable —, ils la poursuivirent, sans se lasser, toute la journée. La nuit tombait quand le frêle tronc de mûrier s'engagea entre les îles Beaucairoises, dans le petit bras de Matagot. Là, enfin, il s'arrêta.

Aussitôt, quatre petites lumières d'argent se détachèrent des branches d'un saule, comme des feuilles mortes. Elles vinrent se poser à la tête, aux pieds et aux deux côtés de Sauvaire. Les bateliers d'Arles n'osaient approcher, pleins d'un effroi sacré. Ils décidèrent d'attendre le jour en veillant le mort à distance, tirèrent leur barque sur la grève et s'assirent sous les saules.

Cependant, les deux voleurs rôdaient encore sur le Rhône. Ils avaient dépensé à boire les quatre deniers de Sauvaire et n'avaient pas toute leur raison. Ils crurent reconnaître de loin les quatre feux en croix sur l'eau noire. Doutant de leurs yeux, ils s'approchèrent. Le plus vieux était mal à l'aise, mais le plus jeune, furieux, s'emporta :

— Tu vas voir si je vais les moucher, cette fois, ces chandelles de malheur !

Déjà, il levait sa rame sur les petites lumières quand les veilleurs des Aliscamps lancèrent leur bachot sur lui. Il bascula soudain, déséquilibrant la barque. Le vieux tomba, lui aussi, à l'eau et tous deux coulèrent aussitôt.

Alors l'arche de Sauvaire se remit à descendre le Rhône en direction des Aliscamps. Quatre étoiles d'argent veillaient sur elle.

LA POULE BLANCHE

Il y avait dans les montagnes des Avures un pauvre laboureur qui vivait avec sa femme et son fils. Ils ne possédaient qu'un misérable champ d'épeautre avec un bout de jardin. La famille mangeait plus souvent du chou bouilli que du levraut en poivrade ou du foie de porc rôti au genièvre. Aussi le garçon, qui avait quinze ans, n'en paraissait-il que dix avec ses épaules étroites et sa petite taille.

Mais il était vif comme un écureuil et dur à la peine. L'esprit éveillé avec ça, il n'y avait qu'à voir son regard aigu. Il s'appelait Guilhen.

Son père l'emmenait souvent avec lui. Quand il y avait un travail spécialement ardu à faire, le brave homme ne cherchait pas du courage dans un bon coup de vin, comme ceux qui sont à leur aise : il arrachait une touffe de germandrée et la mâchait. Il disait à Guilhen :

— Cette herbe-là, tu vois, c'est amer, ça oui, mais, si tu supportes son amer, tu te sens plus solide qu'un chêne et d'une force à lever les montagnes !

Un jour, le baron de ce pays-là était en chasse, à la poursuite d'un grand cerf depuis le matin. Il éperonnait son cheval et galopait comme un furieux. Il se lança avec toute sa suite à travers le jardin et le champ déjà couvert d'épis.

Quand ce grand train de chiens hurlants, de chevaux, de carrosses pleins de dames eut fini de passer, la récolte était hachée, la terre foulée et labourée comme si la charrue et la herse s'y étaient croisées dans tous les sens.

Le pauvre homme alla se plaindre au château. Le baron était en colère de n'avoir pu forcer le cerf. Il leva son épieu de chasse sur l'insolent vilain qui osait réclamer justice et, d'un coup, il l'étendit mort à terre.

La veuve, privée de toute ressource, s'épuisa à la tâche et mourut à l'été. Guilhen resta seul avec un champ ravagé, sans un grain pour semer, sans provisions pour finir l'année.

Il ficela un petit baluchon, prit un fifre dont il aimait jouer, la hache de son père, mordit une bonne touffe de germandrée et partit à l'aventure en quête de travail.

Il se trouva vers la fin du jour au milieu d'un grand bois qu'on appelait les Eouses. Il n'avait pas mangé et jouait du fifre pour se donner du cœur. Le chemin débouchait sur une clairière au fond de laquelle se trouvait une maison solitaire. Il frappa et vit un homme au visage tout noir qui le regardait avec des yeux brillants.

— Je cherche une place, dit Guilhen. Voulez-vous de moi ?

Il n'était pas trop rassuré mais il fallait bien tenter quelque chose.

— Je suis charbonnier, dit l'homme, et les jeunes commis n'aiment pas vivre perdus dans les bois, ni se faire des figures de brigands comme celle-ci ! Pourtant, l'ouvrage ne manquerait pas...

— Qu'aurais-je à faire ? dit Guilhen.

— M'aider à couper le bois et à faire les meules et, quand j'irai un peu loin avec l'âne livrer mes sacs, garder la maison et soigner ma poule blanche. Elle mange n'importe quoi : mais attention ! ni escargot, ni ver de terre, ni chenille, ni autre animal aveugle. Si cela arrivait, je te ferais rôtir tout vif au milieu de ma charbonnière !

Guilhen posa son fifre, sa hache et son baluchon. Il s'installa et fit le travail exigé. Le maître ne le payait guère : trois petites pièces d'argent par mois, mais on mangeait à sa faim.

Un jour, un beau carrosse qui roulait lentement s'arrêta à l'entrée de la clairière. Un monsieur et une dame descendirent et se dirigèrent vers la maison. Le charbonnier dit à Guilhen :

— Tu vas recevoir ces gens poliment. Dis-leur que tu es seul, que je suis sur les chemins avec une charge de charbon, loin d'ici !

Cela sembla bizarre à Guilhen. Il ne répliqua pas mais guetta par le trou de la serrure. Il vit le charbonnier sortir par la porte de derrière qui donnait sur le petit poulailler, ramasser la poule blanche, la tenir dans son bras gauche et lui parler tout bas. Guilhen tendit l'oreille et l'entendit chantonner ceci, tout en caressant le dos de la poule avec la main droite :

« Nuit devant moi, jour après moi !

« Que nul œil mortel ne me voie ! »

À cet instant, les étrangers frappèrent à la porte d'entrée, et Guilhen se retourna vite vers eux. Le seigneur lui dit :

— Bonjour, petit. Tu es tout seul ici ?

— Oui, mon maître est en course, dit Guilhen. Est-ce que je peux vous rendre service ?

— Cette dame est fatiguée et meurt de soif. As-tu un peu d'eau pour boire ?

Pendant que Guilhen versait l'eau, le seigneur reprit :

— Sais-tu s'il y a près d'ici un bon charron, pour réparer une des roues du carrosse ? Et une auberge où l'on puisse passer la nuit ?

— Un charron, je ne sais pas, mais on vous renseignera mieux à l'auberge. Il y en a une juste à la sortie du bois, près du vieux pont.

Tout ce temps, la dame avait gardé le silence. Elle fit un signe. Le seigneur posa une pièce d'argent sur le coin de la table, remercia Guilhen, offrit son bras à la voyageuse et ils retournèrent à leur carrosse qui repartit. La nuit commençait à tomber.

Guilhen entendit taper des pieds dans le poulailler. Il regarda de nouveau par la serrure et ne vit rien, mais la voix du charbonnier s'éleva. Elle chantonnait :

« Jour devant moi, nuit loin de moi !
« Je veux bien que chacun me voie. »

Le charbonnier était debout dans un coin sombre et Guilhen ne le distinguait pas bien. Il lui sembla qu'il posait dans les fagots quelque chose de lourd et ramenait des branches par-dessus. Mais c'était difficile à dire.

Le charbonnier rentra dans la pièce et lui demanda ce que voulaient ces gens, qui ils étaient... Guilhen dit le peu qu'il savait. Le charbonnier semblait de bonne humeur. Il ramassa la pièce du seigneur, la donna à Guilhen, lui ordonna de souper au plus vite et d'aller ensuite acheter du vin blanc à l'auberge.

Ce n'était pas souvent fête aux Eouses ! Guilhen, tout joyeux, prit la cruche et la brouette, traversa le bois et fut bientôt à l'auberge. En lui remplissant sa cruche, l'aubergiste lui dit qu'un beau carrosse venait d'arriver avec une dame à moitié évanouie et un seigneur qui semblait bouleversé. Guilhen regarda l'aubergiste d'un air surpris mais garda la bouche close. C'était un garçon qui réfléchissait beaucoup et bavardait peu.

Revenu aux Eouses, il trouva le charbonnier qui sortait une fois de plus du poulailler. Quelles manigances avait-il donc en train ? Il avait un drôle d'air, le charbonnier, en prenant la cruche de vin. Il en versa un grand coup à Guilhen après l'avoir fait s'asseoir à table, à son côté. Tout cela semblait peu normal. Guilhen essayait de comprendre où le charbonnier voulait en venir.

Au troisième grand coup de vin blanc que son maître lui offrit, il saisit la manœuvre : le charbonnier cherchait à le griser. Aussitôt, il s'arrêta de boire tout en faisant semblant de continuer à avaler pinte sur pinte. Il profitait du moment où l'autre regardait ailleurs pour jeter son vin sous la table. C'était facile car le charbonnier ne tenait pas en place. Il se levait, mouchait la chandelle, remettait une bûche au feu, allongeait une tape au chat, allait voir si la porte était bien fermée, bref tournait comme un écureuil. On voyait qu'il avait un secret dans la peau et qu'il frétillait de joie. Avec ça, il avait toujours ce regard de feu noir qui, le premier jour, avait fait reculer Guilhen.

Le garçon, lui, faisait l'émoustillé, riait, chantait, tapait sur la table tout comme s'il avait bu trop de vin. Il commençait même à clignoter des paupières et à parler en bredouillant lorsque le charbonnier lui dit :

— Si tu me jouais un air de fifre ? Tu n'y as plus touché depuis que tu es ici.

Guilhen alla chercher son fifre et essaya de jouer. Mais ses doigts ne trouvaient pas les trous, il soufflait de travers dans le tuyau. Ça faisait un beau résultat ! On ne pouvait pas douter qu'il n'ait trop bu. Le charbonnier semblait ravi.

— Bravo ! criait-il. Bravo ! Encore un air !

Et, pour remercier Guilhen de sa musique, il alla prendre dans l'appentis un petit sac de toile, montra à Guilhen ébahi, cinq pièces d'or tintant dedans :

— Tiens ! Prends ! Te voilà riche à présent. Tu n'auras plus besoin de travailler.

Guilhen prit le sac sans sourciller.

— Maintenant, ajouta le charbonnier, bois un dernier coup de vin, prends ta hache et ton baluchon, nous allons faire un tour au clair de lune.

Guilhen s'efforçait toujours de comprendre et ouvrait l'œil. Il continuait de jouer les ivrognes en marchant dans les bois avec le charbonnier et il se mit à chanter.

— Chante plus fort, cria l'autre. Parfait !

Ils étaient sur le chemin de l'auberge. Cette dernière était fermée. La nuit était bien avancée. Le charbonnier dit alors à mi-voix :

— Merci de tes services, mon garçon. À présent je te quitte. Tu n'as qu'à demander à coucher ici. On t'ouvrira, va, n'oublie pas l'or qui est dans ton sac et fais-toi donner une bonne chambre ! Si on te demande pourquoi tu n'es plus à mon service, réponds que je vais me marier avec la poule blanche et que je suis jaloux d'elle !

Il éclata de rire, cogna fortement à la porte en criant : « Holà ! » puis décampa sous les arbres.

L'aubergiste descendit en pestant contre ces ivrognes qui ne savent pas aller se coucher.

— C'est vous qui faites ce tapage ? demanda-t-il à Guilhen qu'il n'avait pas reconnu dans le noir.

— Du tout. J'avais, pendu à moi, un grand diable d'ivrogne dont je ne pouvais me défaire.

100

Enfin, il est parti. Bon débarras ! Auriez-vous un coin où je puisse passer la nuit ?

— Mais je te reconnais, dit l'aubergiste. Tu es le commis du charbonnier. Pourquoi n'es-tu pas chez lui ? Il t'a chassé ?

Guilhen décida de sauter sur le prétexte que l'autre lui fournissait :

— Oui. La cruche que je vous avais prise n'était pas bien calée dans la brouette et du vin s'était répandu. Ça l'a mis en colère et il m'a chassé.

— As-tu de quoi payer pour loger chez moi ?

L'aubergiste semblait soupçonneux. Guilhen avait décidé de faire tout le contraire de ce que lui avait soufflé le charbonnier et, sans parler des pièces d'or, répondit :

— Je n'ai pas un sou mais je vous ferai une journée de travail demain, je casserai du bois, je porterai de l'eau...

L'aubergiste réfléchissait :

— Tu peux me rendre un grand service dès cette nuit. Puisque tu es charbonnier, tu dois être un peu bûcheron aussi ?

— Cette question !

— Alors, tu dois savoir charpenter un peu et, à l'occasion, faire le charron ?

— Ma foi... un peu...

— Ces seigneurs que je loge ont un carrosse qui ne peut plus rouler et personne ici pour le leur réparer. Ils sont comme fous à l'idée d'être cloués là. Je ne sais pas quelle affaire les tourmente mais elle doit être bien grave pour qu'ils aient besoin de repartir comme ça tout de suite et de rouler toute la nuit. Viens avec moi, je vais te montrer cette roue qui ne marche pas !

— Réveillez aussi le cocher, dit Guilhen. Il m'aidera.

Le cocher vint à la remise et, pendant que Guilhen travaillait, il tenait la chandelle. Guilhen n'avait pas d'autre outil que sa hache. Mais il était si dégourdi qu'à l'aube, il avait refait les rayons rompus et le morceau de jante ébréché. Il alluma un grand feu, y mit le cercle de fer à chauffer et attendit le moment de cercler.

Le cocher lui dit avec admiration :

— Mes maîtres vous seront bien reconnaissants. Peut-être, grâce à vous, vont-ils se tirer d'un grand malheur.

Guilhen sentit venir quelque chose d'intéressant. Mais, fine mouche, il se contenta de dire : « Ah ? »

— Je peux bien vous le confier, à vous, reprit le cocher. Hier, nous avons été volés. Une somme énorme. Toute en pièces d'or. Le plus incroyable, c'est que, de toute la journée, personne d'étranger ne s'est approché du carrosse. Les quatre sacs étaient sous la banquette des maîtres, quand nous sommes partis à l'aube, ils n'y étaient plus, le soir !

— Vous vous êtes arrêtés en route ? dit Guilhen.

— Pour ainsi dire pas. Une demi-heure, le temps de déjeuner en plein désert de montagnes. Et dix minutes chez un charbonnier : les maîtres sont allés se rafraîchir et n'ont trouvé là qu'un gamin. Moi je tenais la tête de mes chevaux, je n'ai pas bougé d'auprès du carrosse et je n'ai vu personne. Vous pensez bien que, si un voleur était venu, je m'en serais aperçu !

Guilhen réfléchissait. Il se rappelait la disparition du charbonnier, ces choses pesantes qu'il avait rapportées et dissimulées dans les fagots, les pièces d'or qu'il lui avait données, sa hâte à le renvoyer après lui avoir brouillé les idées à coups de vin blanc...

— Dites à votre maître que je veux lui parler tout de suite ! s'écria Guilhen.

Le seigneur était dans la salle d'auberge où l'aubergiste, pour le réveiller, lui servait du vin à la cannelle cuit avec des coques d'amande.

Guilhen salua, jeta ses cinq pièces d'or sur la table et demanda :

— Reconnaissez-vous cela ?

— Et comment ! dit le seigneur. Ces pièces sont frappées à l'effigie de notre roi. Celles qu'on nous a volées étaient exactement les mêmes.

— Reprenez-les, dit Guilhen. Il me semble que je sais où sont passées les vôtres ! Mais, continua-t-il — en s'adressant cette fois à l'aubergiste — si, cette nuit, j'avais demandé la plus belle chambre, en la payant d'avance avec une de ces pièces, qu'auriez-vous dit ?

— J'aurais dit que tu l'avais volée, répondit l'aubergiste. Les pièces en or ne courent pas les bois et tu n'as pas la mine de quelqu'un de riche !

— C'est bien ce que je pensais. J'ai presque tout compris maintenant.

— Qu'est-ce que tu as compris ? dit le seigneur.

— Je ne peux pas vous le dire encore. Ce n'est pas tout à fait clair. En attendant, venez voir si mon travail d'apprenti charron vous convient.

Le cocher achevait de mettre en place la roue réparée. Le carrosse était prêt à repartir. Le seigneur était stupéfait de l'habileté de Guilhen. Il voulut, en échange, lui rendre ses pièces d'or. Mais Guilhen ne le voulut pas. Le seigneur lui dit alors :

— Laisse-moi au moins t'expliquer à quel point tu viens de nous aider dans notre malheur. Je suis le grand chambellan du roi et la dame que j'accompagne, c'est la reine. Le roi est prisonnier dans son château de la montagne. Les sacs d'or qu'on nous a volés, c'était sa rançon. Il fallait la remettre avant demain matin, sinon le roi sera tué.

— Qu'allez-vous faire, à présent ? s'écria Guihen.

— Tenter l'impossible pour rejoindre à temps le royaume de Jubarque. C'est le père de la reine qui en est le souverain. Il est le seul qui dispose d'un trésor suffisant pour payer la rançon de notre roi. Seulement, son royaume est loin. Arriverons-nous à temps ?

Il ajouta avec un gros soupir :

— La reine est comme folle de douleur, d'autant qu'en plus du roi, ces misérables détiennent aussi la princesse Aélis et qu'ils la tueront, elle aussi.

104

— La petite princesse ! Oh, les monstres ! Il faut au plus vite retrouver l'argent, ou alors inventer autre chose. Je me doute à peu près de la façon dont les sacs d'or ont disparu mais savoir ce qu'ils sont devenus, ça...

Guilhen se tourna vers le chambellan :

— Venez avec moi. Chez le charbonnier. Ne lui dites pas que je vous ai parlé, n'ayez pas l'air de le soupçonner. Pendant que vous serez avec lui, je m'occuperai de mon côté.

Ils allèrent donc aux Eouses. C'était encore tôt. Le charbonnier dormait. Le chambellan frappa à la porte pendant que Guilhen se cachait derrière un buisson. Le charbonnier se fit très aimable :

— Oui, j'étais sorti hier quand vous êtes passé. Pour moi, c'est mon commis qui vous a volé vos sacs d'or. Il ne m'inspirait pas confiance. C'est pourquoi j'ai saisi la première occasion pour le renvoyer.

— Ah, il n'est plus ici ? C'est bien fâcheux...

— Figurez-vous qu'hier soir, en rentrant, je l'ai trouvé saoul comme une bourrique : il avait dû acheter du vin avec votre argent. Je l'ai flanqué à la porte. Il m'a répondu qu'il s'en moquait bien, qu'il avait de l'or plein ses poches. Maintenant je comprends pourquoi !

— Pourrais-je visiter sa chambre ? dit le chambellan. Et peut-être quelques coins de la maison ? Ces sacs étaient terriblement lourds à porter. Il a dû en cacher une partie.

— Regardez partout à votre aise. Je ne veux pas que vous me croyiez son complice.

Le charbonnier était bien tranquille : il avait tout enterré dans le bois. Le chambellan fouilla la maison et ne trouva rien. Il repartit bredouille. Guilhen l'attendait au tournant du chemin.

— Ça m'aurait étonné si vous aviez mis la main sur vos sacs. Ç'aurait été trop beau ! Mais j'ai peut-être dans ce panier de quoi sauver le roi et la princesse. Nous allons voir ça tout de suite.

Guilhen souleva la toile qui couvrait le panier. La poule blanche y était couchée. Il la prit dans son bras gauche, caressa la poule de la main droite, lentement, en chuchotant :

« Nuit devant moi, jour après moi !

« Que nul œil mortel ne me voie ! »

— Où es-tu passé ? cria le chambellan.

Il écarquillait les yeux. Guilhen était devenu invisible. Sa voix résonna gaiement :

— Ça marche ! Nous voilà sauvés. À l'envers, à présent.

Il posa la poule par terre, tapa des pieds :

« Jour devant moi, nuit loin de moi !

« Je veux bien que chacun me voie ! »

Et le revoilà devant le seigneur ébahi. Vite, ils regagnèrent l'auberge. Le chambellan courut consoler la reine et lui redonner espoir. Une demi-heure plus tard, il montait dans le carrosse avec Guilhen. Ils se dirigeaient vers le château de la montagne où le roi était retenu prisonnier par un de ses barons révolté.

Le cocher les mena au triple galop. Guilhen observait les environs. Partout, aux carrefours, aux ponts, des soldats en armes, des postes de garde. Le baron avait pris ses précautions. On eût dit un pays en état de guerre !

Les gardes arrêtèrent le carrosse bien avant le pont-levis. Le chambellan descendit et s'avança seul pour montrer qu'il ne menaçait pas. Le pont-levis s'abaissa, le chambellan passa. Le pont-levis se releva.

— Dites à votre maître que je viens pour la rançon du roi, ordonna le chambellan au garde.

Celui-ci le fit attendre sous la poterne, sans le perdre des yeux et sonna la cloche. Le baron apparut :

— Où sont les sacs d'or ?

— On nous les a volés mais accordez-nous trois jours et je vous en apporterai le double.

— Non, dit le baron. Ce qui est dit, est dit. Demain à midi, sinon le roi et la princesse seront exécutés.

Il s'en alla. À nouveau, le pont-levis s'abaissa pour laisser passer le chambellan et se releva dans un grand bruit de chaînes. Le carrosse repartit.

Mais Guilhen n'était pas resté dans le carrosse. Avant d'approcher du château, il s'était rendu invisible. Ainsi avait-il pu passer le pont-levis en même temps que le chambellan, à la barbe de tout le monde. Et il était resté dans la place.

Il explora d'abord les lieux pour voir comment s'y prendre. Il trouva assez vite l'appartement du roi et de la princesse. À leur porte, au fond d'une longue et sombre galerie de pierre, il n'y avait qu'une sentinelle. En revanche, les couloirs et la cour étaient emplis de soldats qui allaient et venaient.

Guilhen se dirigea à pas de loup jusqu'à la sentinelle qui montait la garde, toute raide dans sa cuirasse. Il enleva son chapeau et, le balançant à plusieurs reprises, lui fit du vent sur le front. La sentinelle ne broncha pas.

Alors Guilhen prit dans son panier une tige d'herbe folle et la glissa tout doucement dans le nez du garde qui éternua. Guilhen secoua de nouveau son chapeau.

L'homme se mit à grogner :

— Je m'enrhume, moi, dans cette glacière. Le vent entre et le soleil reste dehors !

Il alla au bout de la galerie et ferma avec colère la grande porte. Au même moment, Guilhen en profitait pour ouvrir la porte du roi. Il entra, repoussa le battant sans le fermer tout à fait. Il tira de sa poche un clou à la tête ronde, le planta légèrement en dessous du gond.

Déjà le garde rejoignait son poste, toujours grognant :

— Évidemment, ça faisait courant d'air ! Quelle bicoque !

Et il tira la porte brusquement. Le clou, pincé comme une noisette s'enfonça dans le bois mais la tête restée en saillie fit ressort : la porte se rouvrit. Deux ou trois fois, le garde recommença. Le pêne finit par tenir à peu près.

Guilhen s'approcha du roi sur la pointe des pieds. Il chuchota à son oreille :

— N'ayez pas peur, ne bougez pas. Je viens vous sauver.

Le roi se frotta les yeux et resta bouche bée : d'où sortait cette voix ?

La petite princesse Aélis avait entendu. Elle joignit les mains d'un air radieux. Elle était jolie, cette petite, et fine... Guilhen reprit :

— Je vais faire évader la petite princesse. Je reviendrai pour vous demain matin. Cette nuit, vers minuit, prenez dans un verre cette poudre et ne vous tourmentez de rien, quoi qu'il arrive. Embrassez votre fille, nous partons.

Le roi regardait autour de lui, l'air effaré. Guilhen n'avait pas envie de traîner. Il prit Aélis sur son dos, à la chèvre morte : dès que les pieds de la princesse eurent quitté le sol, elle devint invisible à son tour.

Guilhen ouvrit la porte doucement, comme si le pêne mal engagé lâchait. Le garde jura, chercha par terre le caillou qui devait, pensait-il, faire obstacle et même se mit à genoux. Guilhen l'enjamba et décampa comme un fantôme.

Il traversa les salles et la cour en faisant des zigzags pour ne heurter personne, avec la princesse sur le dos. Il arriva devant le pont-levis et, là, dut attendre un moment qu'on l'abaisse pour la relève des sentinelles extérieures. Il sortit avec les soldats et descendit de la montagne par les petits sentiers.

Aélis n'était pas très lourde, mais il fallait marcher longtemps avant de sortir de la région gardée. Le temps était orageux, la chaleur lourde. Guilhen se sentait épuisé. De temps à autre, il posait Aélis par terre pour reprendre haleine. Aussitôt, la princesse redevenait visible. Guilhen se hâtait d'abréger la halte !

Cependant le garde de la chambre royale, en se relevant, s'était aperçu que le roi était seul. Il donna l'alarme. Personne ne comprenait rien à la disparition d'Aélis. Il fallut annoncer la chose au baron. Il entra dans une rage noire. Il plaça quatre hommes devant la porte, quatre sous la fenêtre et quatre autres devant la cheminée et il cria à ses gardes :

— Incapables ! Vous serez tous privés de vin et de viande pendant deux jours et gare à vos têtes si vous ne surveillez pas mieux le roi !

Pendant ce temps, Guilhen continuait de porter la princesse, de buisson en buisson, en évitant les sentinelles postées partout jusqu'au bord de la rivière. Il n'en pouvait plus. Ils longèrent un mur en ruines. Près d'un grand cyprès, poussait une touffe de germandrée.

Guilhen se souvint de son père, fit glisser la princesse à terre, à l'abri du mur, mâcha les feuilles de la germandrée. Le ciel était devenu tout noir, le tonnerre roulait. Aélis s'efforçait de masquer sa peur. Guilhen la réconforta. Il se sentait ragaillardi, reprit Aélis sur son dos et repartit comme la pluie commençait à tomber à flots.

Ils passèrent sous le nez des dernières sentinelles dont les casques dégoulinaient comme des gouttières ; celle qui gardait l'entrée du pont avait un vieux sac sur le dos et baissait la tête, piteusement.

La rivière franchie, Guilhen déposa Aélis et lui apparut enfin.

La rivière franchie, Guilhen remit Aélis à terre. Ils étaient trempés, mais ravis. Guilhen reprit la poule dans le panier, chanta son refrain en caressant les plumes blanches et apparut enfin à Aélis.

Ses cheveux étaient tout aplatis par la pluie, sa veste pleine d'eau pendait comme une serpillière, des éclaboussures de boue lui couvraient les jambes et son panier lui donnait l'air d'un bohémien chasseur d'escargots.

Mais il se tenait droit comme un roi, ses yeux brillaient. Aélis lui sauta au cou :

— Quand nous serons grands, si tu veux, je t'épouserai !

— Je veux bien, dit Guilhen.

La reine fut toute retournée en voyant sa fille devant elle et sauvée. Restait le roi.

— Ce sera plus difficile, dit Guilhen au chambellan : ils sont en alerte, à présent au château de la montagne. Et je ne pourrai pas porter le roi sur mon dos. Il est trop lourd. J'ai quand même une idée : demain, à l'aube faites-moi amener un bœuf bien gras. Et attachez lui au cou une outre pleine de vin.

Le chambellan obéit, il ne s'étonnait plus de rien !

Le lendemain, Guilhen monta sur le bœuf. Invisible, car il avait caressé la poule mais le bœuf qui avait les pieds dans la poussière du chemin, se voyait, lui, de loin. Et il n'était pas déplaisant à voir.

Arrivé au pont-levis, Guilhen piqua sa monture qui se mit à mugir. Les soldats, en voyant cette belle bête bien grasse sans maître, décidèrent de s'en emparer. C'était un fameux morceau pour des ventres privés de viande !

L'outre de vin aussi arrivait à point ! Ils baissèrent le pont-levis, firent entrer le bœuf, l'abattirent en cachette dans le fond d'une écurie, lui coupèrent la tête, l'écorchèrent, le taillèrent en quartiers et portèrent la viande aux cuisines où ils la firent cuire en grand secret.

Guilhen les regarda faire un moment, puis s'en alla vers les appartements du roi. La galerie était vide, la chambre grande ouverte, le roi gisait sur son lit, mort.

Les gardes l'avaient trouvé déjà froid le matin. Le baron, voyant lui échapper sa rançon, avait manqué en crever de rage. Il était parti à la chasse, prêt à faire un massacre pour oublier ses ennuis.

Guilhen entra dans la chambre déserte et sombre. Seul brûlait un malheureux cierge. Sans se troubler, Guilhen souleva une des paupières du mort, regarda et dit :

— C'est bien.

Puis il retourna dans la cour. Il y avait là une herse toute montée sur ses trois petites roues. La plupart des soldats étaient en train de se régaler de bœuf dans des coins écartés par crainte du baron et des officiers. Guilhen tira la herse dans l'écurie où étaient restées la tête et la peau du bœuf.

Il revint ensuite à la chambre du roi, prit son cadavre sur son dos. Heureusement, le trajet était court car le roi était grand et gros.

Guilhen, chancelant sous le poids, réussit à porter le corps du roi devenu à son tour invisible, jusqu'à l'écurie. Puis il attendit.

Au bout de deux heures, un grand vacarme retentit à l'entrée du château. La trompette sonna, les chaînes du pont-levis grincèrent, les soldats se rassemblèrent en hâte et présentèrent les armes : le baron rentrait de la chasse dans un aboiement de chiens surexcités, des hennissements et des piaffements de chevaux.

Tout à coup surgit une chose, mais une chose... fabuleuse !

D'abord une tête de bœuf mort qui marchait toute seule à la façon d'un fantôme, les yeux clos et gonflés, les poils tout collés de sang qui avait noirci, les cornes et les naseaux souillés de fumier.

Venait ensuite, en guise de corps, une grande fourche possédée du diable qui raclait le sol, penchée en avant, sans rien qui la soutienne. Derrière flottaient dans l'air, on ne savait par quelle magie, des traits de cuir tirant un chariot étrangement bas.

Il était fait d'une herse drapée d'un cuir de bœuf encore gluant sur lequel reposait, la face nue sous le ciel, le corps du roi mort. Un cierge fumait à l'avant du char. Un fifre invisible scandait une musique diabolique, une marche funèbre si aiguë qu'elle déchirait les oreilles et glaçait de peur.

La terreur s'empara de la foule. Les chevaux se cabrèrent, fracassant des crânes à chaque ruade. Les chiens, rompant leurs laisses, déchiquetèrent les chasseurs. Les soldats, pour fuir plus vite, donnaient de grands coups de sabre. Le baron fut renversé de sa selle, foulé aux pieds par la foule en folie. Le plus grand de ses chiens emporta son âme en enfer.

Pendant ce temps, le cortège funèbre du roi franchissait le pont-levis ; descendait la montagne toujours au son de la marche du fifre sans musicien. Les sentinelles, à cette vue, détalaient ou tombaient mortes de peur.

Quand le corps du roi eut traversé le pont, Guilhen remit son fifre dans sa poche. Il jeta dans un buisson la tête de bœuf et la fourche qu'il avait laissées traîner par terre de manière à ce qu'elles restent visibles. Il se débarrassa des traits de cuir passés à sa ceinture et enfin, tapant des pieds, dit gaiement :

« Jour devant moi, nuit loin de moi !

« Je veux bien que chacun me voie ! »

Il poussa un grand soupir de soulagement, prit dans son gousset quelques feuilles de germandrée, les écrasa dans un peu d'eau, glissa cette drogue entre les dents du roi.

Ce dernier ouvrit les yeux, se vit libre et serra Guilhen dans ses bras :

— Nous te devons la vie, ma fille et moi. Que veux-tu pour ta récompense ?

— Je vous le dirai quand je serai devenu tout à fait un homme.

Et il ajouta avec malice :

— Ou la princesse Aélis choisira pour moi !

LA CABRE D'OR

Il y avait plus de cinq ans déjà que Guilhen avait sauvé le roi et sa fille la princesse Aélis. Il était devenu un beau garçon vigoureux et la princesse l'aimait de plus en plus. Lui adorait Aélis. Le roi et la reine s'en étaient bien aperçus et riaient ensemble de ces deux innocents qui s'imaginaient que ça ne se voyait pas.

Un beau jour, le roi décida de parler à Guilhen :

— Écoute, lui dit-il, ma fille a déjà été demandée trois fois en mariage, par trois princes très aimables qu'elle a refusés sans dire pourquoi. Peux-tu m'expliquer cela ?

Guilhen rougit et ne répondit pas.

— Moi, je vais te le dire, reprit le roi. C'est qu'elle s'est mise en tête de t'épouser. Alors, qu'attends-tu, toi, pour me la demander ? Vous faites jaser la cour et la ville, tu compromets Aélis et ton manque d'empressement n'est pas très flatteur !

116

Cette fois, Guilhen se décida à répondre :

— Sire, dit-il, je ne suis qu'un pauvre paysan. Je vous ai rendu un service, c'est vrai mais...

— Un service, s'écria le roi, nous sauver la vie, tu appelles ça un service ? Qu'est-ce qu'il te faut donc ?

— Il m'a suffi d'un peu d'imagination et de beaucoup de chance. J'aurais voulu faire mieux pour mériter Aélis que j'aime tant !

— Mais que veux-tu faire de plus ? gronda le roi. Elle t'aime, je t'estime, moi, le roi, n'est-ce pas assez ?

— Je pense à la malice des gens, dit Guilhen. Je crains qu'ils ne me méprisent en me jalousant. Comment pourraient-ils admirer un petit charbonnier qui a sauvé la plus ravissante des princesses en contrefaisant l'ivrogne, en plaçant une poule dans un panier et une tête de bœuf au bout d'une fourche ?

— Je vois, dit le roi. Tu trouves que tes exploits manquent de poésie. De quelles aventures merveilleuses rêves-tu ? De faire prisonnière la cabre d'or, peut-être ? Dieu te garde de pareille folie, pauvre enfant ! Tiens, si tu tiens tellement à faire quelque chose pour ta fiancée, essaye plutôt de reconquérir sa dot que le maître des Eouses nous a volée. Ces quatre sacs d'or sont un peu ton bien aussi, à présent, puisque je te donne ma fille.

Guilhen ne trouvait pas l'exploit bien héroïque mais enfin, rapporter un trésor à celle qu'on aime n'était pas méprisable. Peut-être devrait-il faire de lointains voyages ? Peut-être courrait-il des dangers, pour retrouver le ravisseur du trésor ?

Guilhen partit donc le cœur plus léger qu'il ne l'avait eu depuis cinq ans. D'autant que la belle Aélis, en le quittant, lui avait donné un baiser, mais un baiser à renverser les Alpes dans la mer.

Il alla droit aux Eouses, pour demander aux gens du pays ce qu'était devenu le charbonnier. Ce fut le charbonnier lui-même qu'il trouva dans son ancienne maison, les mains plus noires et la veste plus déchirée que jamais.

Guilhen en fut tout surpris. Il se nomma. Le charbonnier parut gêné mais moins que Guilhen n'aurait cru : il faisait l'effet d'un homme qui n'a plus ni à craindre ni à perdre.

— Ne me racontez pas d'histoires, dit Guilhen. Qu'avez-vous fait du trésor ?

— Tu trouves que j'ai l'air d'un homme qui possède un trésor caché ? demanda l'autre. Je ne l'ai plus. Si je l'avais, je ne serais pas ici à crever de misère en fabriquant du charbon.

— Comment l'avez-vous perdu ?

— L'histoire est un peu longue, fit le charbonnier. Mais si elle t'intéresse, écoute : j'avais enterré les quatre sacs sous un chêne que j'avais marqué. Les premiers temps, après ton départ, je n'osais pas y puiser pour ne pas attirer les soupçons en faisant trop de dépenses. A propos, on ne t'a pas soupçonné, toi ?

— Pour les pièces d'or que vous m'aviez données ? fit Guilhen ironique. Vous avez l'audace de m'en reparler ? Continuez votre histoire, ça vaudra mieux !

L'autre baissa un peu le nez et poursuivit :

— Je n'osais pas davantage quitter le pays avant que le bruit de cette affaire ne s'éteigne, on m'aurait soupçonné. Bref, je faisais mon métier comme avant et je courais le pays. Un matin, au point du jour, je monte dans la montagne et je me trouve au bord d'un lac. Qu'est-ce que je vois ? Tout le pourtour était couvert d'un ruissellement d'or ! Et, en haut d'un grand mur de rocher, une jolie chèvre, couleur d'or elle aussi, gardait ces trésors, campée sur ses quatre pattes.

— Je sais, dit Guilhen. Mon père l'a vue, autrefois, à Montmajour, près d'Arles, dans les ruines de l'abbaye. C'est la cabre d'or qui garde les trésors souterrains. Chaque saison, elle doit les exposer une heure au soleil levant pour les empêcher de se ternir dans le noir et l'humide.

— C'est bien ça, dit le charbonnier. Et le trésor qu'elle gardait était mille fois plus riche que le mien. Mes quatre sacs d'or n'étaient rien face à cet entassement de pièces, de lingots, de barres, de bijoux, de couronnes, de statues, en or, tout en or, tu imagines !

— Mal, dit Guilhen. Continue !

— Moi, les yeux me brûlaient, la tête me tournait, j'ai voulu prendre un peu de cet or, j'ai couru chercher mon âne et le temps que je revienne, tout avait disparu, trésor et cabre d'or.

Le charbonnier hocha la tête :

— Enfin, pas absolument tout. Quelque chose brillait encore au pied du grand mur de rocher, quelque chose de fin : une épingle d'or oubliée dans l'herbe. En me baissant pour la ramasser, qu'est-ce que je vois ? Une sorte de fente dans le rocher, qui montait, qui tournait et redescendait plus loin. Ça faisait comme un portail où la pierre était un peu plus sombre, un peu plus lisse et un peu plus renfoncée qu'aux autres endroits.

— Et vous avez pensé que ce portail fermait la grotte où la cabre d'or garde ses trésors ?

— Comme tu dis. Et que la nuit de Noël, au moment où le prêtre lit l'évangile, ce portail s'ouvrirait. C'est la loi imposée au diable. Chacun le sait.

— Oui, dit Guilhen, mais attention, seulement le temps que dure la lecture de l'évangile. Après, tout se referme ! Enfin, c'est ce qu'on dit.

— On dit vrai, fit le charbonnier avec une grimace. J'en sais quelque chose, moi qui te parle. C'est la fin de mon histoire. Je rentrai aux Eouses plein d'espoir et me voilà à attendre, jour après jour un Noël qui, jamais, ne m'avait paru tant tarder ! Enfin la nuit en arrive. Je monte là-haut bien avant l'heure de minuit, je cache mon âne derrière des broussailles et j'attends. Tout d'un coup, une lumière éclate dans la montagne : le portail venait de s'ouvrir dans une grande lueur de four, une telle clarté que j'hésitais à avancer. Il me semblait que toute la terre pouvait me voir.

Quand voilà que je me sens tiré par le bras si rudement que j'en trébuchais parmi les pierres ; c'était l'épingle d'or que j'avais piquée sur ma manche qui me traînait de force vers la caverne et qui criait, juste devant moi d'une petite voix pointue : « En voilà encore un ! Je le tiens ! »

Je me trouve jeté à terre sous la voûte de rocher et le portail se referme comme il s'était ouvert. Et je sens sur mon dos une épaisseur glacée. Je relève la tête.

La cabre d'or était au fond de la caverne, perchée sur une espèce de petite chapelle ou de mosquée, je ne sais pas : c'était tout en colonnettes d'or et en arcades ajourées avec du feu dedans. Des rayons dorés emplissaient toute la caverne et, partout, des tas d'or pétillaient comme des feux de forge !

La cabre d'or se mit à rire comme un démon : « Charbonnier, me dit-elle, tu as violé mon secret, tu as voulu piller mes trésors. Tu seras leur prisonnier toute ta vie à moins que tu n'y ajoutes, pour les grossir, autant d'or qu'un homme peut en porter. »

La lumière s'éteignit et je suis resté enfermé dans le noir, dans l'humide, une année. Guilhen, une année sans rien voir, sans entendre personne...

Au bout d'un an, la lumière revint tout à coup et m'aveugla. La cabre d'or me dit : « Tu as un jour entier pour payer ta rançon. Si tu ne peux pas t'acquitter, la nuit prochaine, l'épingle te ramènera. »

Je n'eus besoin que de quelques heures pour

déterrer les quatre sacs d'or que j'avais pris au roi et les apporter, sur mon dos, car entre-temps, mon âne était mort. La cabre d'or me dit alors : « C'est bien. Mais cet or est-il à toi ? » Je dus avouer la vérité. Elle dit : « Si le roi veut reprendre son bien, il lui sera rendu la nuit de la Saint-Jean : les quatre sacs seront sous la voûte, tout de suite en entrant. Tu lui donneras l'épingle d'or. »

— Pourquoi ne l'as-tu pas fait ? s'écria Guilhen.

— Parce que je ne pouvais rendre le trésor et que le roi ne m'aurait pas cru. Il m'aurait fait pendre !

— Eh bien, moi, dit Guilhen, je crois ce que vous dites. Le roi vous fera grâce, par amitié pour moi.

— Tu ferais ça ? dit le charbonnier tout penaud. Dire que je te croyais pendu, et il ajouta... à cause de moi !

— N'en parlons plus, dit Guilhen. Ta punition, tu l'as eue ! Ton année sous la terre, ça suffit !

Le charbonnier radieux tendit à Guilhen l'épingle d'or. Il la prit et dit en riant :

— C'est donc elle qui va m'entraîner chez la cabre d'or ! Je suis curieux de la voir, cette cabre !

— Méfie-toi quand même, dit le charbonnier, méfie-toi !

Mais Guilhen était déjà loin. Il courait, il volait et il arriva chez le roi tout excité.

En écoutant son récit, le roi fit un peu la gri-

Le charbonnier découvrit la cabre d'or installée sur une estrade au fond de la caverne.

mace. La grâce du voleur tant qu'on voulait mais entrer en relation avec la cabre d'or, ça ne lui plaisait guère. C'était un homme sage, ce roi. Mais Guilhen ne voulut rien entendre. Une fièvre s'était emparée de lui. Même les larmes d'Aélis — qui ne regrettait pas la perte des sacs d'or à présent qu'elle avait Guilhen — donc ses larmes mêmes ne purent le retenir.

La nuit de la Saint-Jean était proche. Il s'en alla dans la montagne comme le charbonnier le lui avait indiqué. Il n'avait pris avec lui qu'une mule portant deux grands couffins pour y mettre les sacs d'or.

Il se trouva aux abords du lac vers onze heures du soir, quand la nuit de la Saint-Jean fut donc venue.

Il commença à attendre, attendit, attendit... Seul et comme perdu. Il ne savait plus quelle heure il pouvait être. Enfin une cloche lointaine, quelque part, dans la vallée, tinta... Le portail s'ouvrit.

Il se fit comme une immense aurore venue des profondeurs de la montagne. La caverne débordait de pièces d'or, de coffres d'or, de blocs d'or sculptés comme des arbres, des navires, des châteaux, des cathédrales, des villes à rempart. Et au-dessus, tout au-dessus, la roche d'or en pyramide semblait le trône d'une divinité païenne.

Un trône vide. Nulle part, on ne voyait la cabre d'or.

Guilhen s'avança vers le seuil, tirant sa mule. Elle s'arc-bouta, raide, sur ses quatre fers. Il aurait perdu un temps précieux à essayer de la faire avancer. Il entra donc seul.

Tout de suite, à droite sous la voûte du vestibule il vit les quatre sacs par terre, le long du rocher. Au-dessus du premier sac était accroché, par une courroie d'or, un grand olifant d'ivoire. Au-dessus du second sac, un casque d'or, orné d'un griffon, ailes ouvertes, était suspendu. Au-dessus du troisième, une épée d'or avec un serpent enroulé autour de la garde. Le dernier sac semblait gardé par un bouclier d'or épais et bombé qui portait en armoiries une sirène d'argent à queue d'émail pourpre sur des vagues d'émail vert.

Guilhen souleva en hâte le premier sac : il était lourd et il admira le charbonnier qui en avait porté quatre d'un seul coup. Lui en prit deux — un sous chaque bras — avec effort et se dirigea vers la sortie de la caverne.

Il avait à peine tourné le dos qu'une voix lui cria :

— Ne te hâte pas tant, Guilhen. À toi qui reprends un bien volé, le temps n'est pas mesuré. Le portail ne se refermera pas, je te le jure, avant que tu aies emporté le dernier sac.

Il alla placer les deux sacs dans les couffins pendus au dos de la mule. Puis il rentra sous la voûte et dit :

— Qui m'a parlé ?

— Personne que tu puisses voir. Ne t'en soucie pas.

La voix sortait du grand olifant d'ivoire.

Guilhen, haletant, se penchait pour prendre

le troisième sac lorsqu'il s'aperçut que les deux premiers étaient revenus à leur place sous le casque et sous l'olifant. Alors, il courut dehors porter le troisième sac et s'assurer que les deux premiers étaient bien là, dans le couffin. Ils y étaient. Quel mystère était-ce donc là ? Il en avait poussé deux de plus dans la caverne ?

Il rentra prendre le quatrième sac et ne s'étonna pas cette fois de voir que, de nouveau, les quatre sacs étaient là, contre la muraille. Il prit le sac veillé par le bouclier d'or — le quatrième. Sur l'écusson, la sirène semblait sourire et chanter : « Reviens ! Reviens encore ! »

Il s'en alla en chancelant. Une sueur brûlante le couvrait. Quand il eut posé son fardeau, il s'assit dans l'herbe, le cœur battant. Le lac luisait sous la lune.

Il resta là, immobile, peut-être une heure. Le portail était toujours ouvert !

Alors la passion qui s'était emparée de lui quand le charbonnier avait évoqué la cabre d'or, fut la plus forte. Il s'élança sous la voûte et vint se planter hardiment devant le trésor.

Il ne regardait ni les sacs, ni les armes superbes, ni la ravissante sirène. Il fixait le grand cor d'ivoire.

Il dit enfin :

— Puis-je parler encore ?

— Parle.

— Où est la cabre d'or ?

— Est-ce là ce qui te ramène dans la caverne ?

— Quoi d'autre ? J'ai repris mes quatre sacs d'or.

— Il en reste.

— Je n'en voulais que quatre, les miens.

— Et ces armes ne te tentent pas. Elles sont dignes d'un roi !

— Je ne suis pas roi.

— Pourtant tu es le premier qui soit entré ici avec l'âme d'un roi et non pas d'un brigand. Aussi emporteras-tu ta récompense.

— Je ne veux pas d'autre récompense que la cabre d'or. Mais je ne désire pas l'emporter, seulement la voir, sentir sous mes doigts son pelage et ses cornes.

— Elle n'est pas ici, cette nuit.

— Alors, je ne veux pas d'autre récompense, répéta Guilhen.

Un soupir sortit du grand cor d'ivoire. La voix eut comme une hésitation pour dire :

— La cabre d'or apparaît, une fois par siècle, à la fontaine d'Annibal. Le temps approche. À l'équinoxe d'automne elle y sera.

— Merci, dit Guilhen.

Et il s'en alla.

*

Trois mois passèrent. La princesse Aélis s'inquiétait de voir Guilhen songeur, malgré l'amour qu'il lui portait toujours. On eût dit qu'il dissimulait une peine. Aélis en devinait vaguement la cause, mais une crainte superstitieuse la retenait d'en parler.

Pourtant, comme le jour de leurs noces approchait, elle se risqua à dire, en désignant l'épingle d'or que Guilhen portait sur son pourpoint :

— Est-ce à la cabre d'or que tu rêves ?

Et elle s'efforçait de rire. Guilhen inclina la tête en silence.

— Mais pourquoi ? reprit Aélis. N'es-tu pas heureux près de moi ? N'avons-nous pas la fortune ? L'amour ? Que désires-tu de plus ?

— Je voudrais, dit Guilhen, une fois, une seule, voir cette cabre d'or que si peu d'hommes ont vue. Et qu'on dise de moi : « Il a tenu captive, entre ses mains, la bête enchantée. »

— Ah, dit Aélis avec désespoir, je le vois bien, tu aimes mieux l'aventure et la gloire que moi !

Ému, Guilhen la prit entre ses bras :

— Non, dit-il, tu es mon seul, mon unique amour.

Le lendemain, Guilhen avait disparu.

**
*

En rentrant de son voyage à la caverne, Guilhen avait questionné les montagnards :

— Qu'est-ce que cet Annibal ? Et où se trouve sa fontaine ?

La fontaine, ils la connaissaient et indiquèrent à Guilhen la vallée où elle coulait. Mais Annibal, ils ne savaient pas. Seul un vieux berger se souvenait qu'on lui avait dit dans sa jeunesse qu'il y avait eu autrefois un roi des Sarrasins d'Afrique qui aurait porté ce nom.

128

— Il aurait conquis la Provence, coupé les Alpes en les faisant fondre dans du vinaigre pour que puissent passer ses éléphants et rapporté de Rome le trésor des Césars. Il l'aurait enfoui, quelque part sous une grande fontaine bâtie avec des secrets parmi les colonnes et les arcades sarrasines. Mais tout est ruiné aujourd'hui et le trésor, on ne sait plus au juste où il est.

Voilà ce qu'avait dit le vieux berger et c'était resté dans la tête de Guilhen.

C'est la veille de l'équinoxe d'automne qu'il avait quitté la cour du roi. Il marcha tout le jour à travers la montagne et, vers le soir, remonta la rivière qui se forme à la fontaine d'Annibal.

L'ombre était humide et fraîche. Dans les prés, commençaient juste à pointer ces fleurs mauves que les gens appellent « dames nuses » parce que leur tige jaillit du sol toute nue et lisse ou encore « veilleroles » parce qu'elles sont le signe que le temps des veillées approche.

Le vieux berger était par là et reconnut Guilhen. En le voyant regarder les fleurs, il dit :

— Les savants de la ville les appellent, eux, des colchiques, du nom de leur patrie, la Colchide, le pays du bélier à la toison d'or. Et s'il en pousse tant, ce soir, c'est pour honorer la cabre d'or. C'est aujourd'hui l'équinoxe d'automne : à minuit, la constellation du Bélier sera au plus haut du ciel et saluera sa sœur.

Guilhen écoutait le vieux berger pour ne pas entendre les mille voix menues des filets d'eau qui murmuraient, dans le lit pierreux de l'Ouvèze :

— Viens avec nous, redescends la vallée, va retrouver Aélis qui pleure, Aélis, Aélis...

Mais lui martelait de ses talons le dur chemin, comme un soldat. Il portait, dans son panier, la vieille poule blanche qui, en le rendant invisible, lui avait permis, jadis, de délivrer la petite princesse. Il n'aimait pas qu'on lui parle de cette poule. C'était comme s'il en avait eu honte.

— Qu'elle me serve une dernière fois, pensait-il, pour approcher la cabre d'or. Après...

À la tombée de la nuit il monta sur une roche en forme de bouclier de manière à découvrir un plus vaste horizon. Il caressa la poule blanche et — pour la dernière fois, donc — il chanta :

« Nuit devant moi, jour après moi,

« Que nul œil mortel ne me voie ! »

Aussitôt il devint invisible.

Il attendit encore plusieurs heures. Il avait fixé le panier de la poule blanche à sa ceinture, derrière son dos, pour avoir les mains libres.

Vers le milieu de la nuit, il aperçut une lueur dorée qui dansait dans la vallée. Il descendit vers elle.

Il arriva auprès de ruines très anciennes. Des débris de colonnes, des chapiteaux sculptés de feuilles d'acanthe gisaient au sol. Seule, une arcade était encore debout. Elle se découpait, sombre, dans le clair de lune. Et sous cette arcade, perchée sur une sorte d'autel, la cabre d'or veillait.

Elle était immobile. Elle semblait taillée dans la braise. Une vapeur rouge flottait autour de son corps qui avait l'air à la fois aérien et lourd de toute la charge d'or fondu jadis pour la faire. Ses pattes fines agrippaient la pierre comme des griffes inébranlables et, en même temps, elles paraissaient prêtes à bondir en l'entraînant jusqu'aux étoiles.

Guilhen la contemplait, fasciné.

Sans bruit, il escalada les pierres. La cabre d'or était tournée vers lui qui était toujours invisible et elle n'eut pas un frémissement.

Alors, il s'approcha, retenant son souffle jusqu'à un pas d'elle et fixa ses yeux d'or fauve pareils à ceux d'une fée. Puis, étouffant un cri de triomphe, il se lança, les deux mains en avant et fondit comme un aigle sur les cornes de métal qu'il tint solidement empoignées. Elles étaient froides comme l'or dont elles étaient faites. L'étrange animal semblait cloué sur place. Puis la cabre d'or eut un bêlement semblable à un rire moqueur et dit :

— Eh bien, Guilhen, tu m'as vue et tu m'as prise. Es-tu satisfait ? Moi, je ne te vois pas, mais je sens tes mains sur mes cornes. Pas pour longtemps !

Les fines cornes ciselées, en un instant, devinrent si brûlantes que Guilhen, désespéré, dut les lâcher.

Pourtant la cabre d'or ne bougeait pas, ne s'enfuyait pas. Elle levait son museau vers lui comme si elle avait pu le voir et secouait sa barbe avec malice :

— Montre-toi un peu, beau chevalier ! Pourquoi te cacher ? Ce n'était pas la peine !

Comme Guilhen se taisait, elle reprit d'un ton plus grave :

— La passion que tu as mise à me chercher me touche. Tu n'es pas comme les autres hommes et tu me plais. Si tu veux, je te suivrai chez le roi. De mon plein gré. Mais, pour cela, il faut que tu aies le courage de m'embrasser trois fois sur le front.

Elle ajouta, un ton plus bas :

— Guilhen, je suis une âme en peine à qui seul le baiser d'un chrétien peut rendre à jamais le repos.

Guilhen était un garçon décidé. Il se pencha vers la chèvre, si vivement, qu'il eut à peine le temps de voir qu'elle se transformait soudain en un bouc aux gros yeux bridés, au nez lourdement busqué, aux lèvres noires et pendantes, avec une barbe jaune qui pendait.

Guilhen hésita une seconde, puis, fermant les yeux, baisa le front répugnant de l'animal.

Maintenant, il fallait recommencer ! Guilhen reprit son souffle et, bien qu'il eût le cœur soulevé, se pencha de nouveau. Mais, cette fois, il vit se tordre sur les pierres un énorme serpent. Il levait vers lui sa tête plate et dardait une langue pareille à une flamme. Il sifflait avec une colère si impressionnante que Guilhen faillit s'enfuir. Ses jambes tremblaient, la peur l'envahissait. Pourtant, il se ressaisit et posa ses lèvres sur les écailles du front.

C'était vraiment être brave !

Il ne restait plus qu'une épreuve. Quelle sorte de monstre allait maintenant surgir ? Réussirait-il à lui résister ? Guilhen n'avait plus qu'une idée : tenir !

Il s'avança pour le troisième baiser.

Une fille adorable était assise sur l'autel païen. Si belle sous son hâle doré de Mauresque, avec le bleu presque noir de ses prunelles et ses grands cils recourbés que Guilhen demeura une seconde immobile, sous le charme. Ses longues jambes reposaient gracieusement sur la pierre et ses cheveux noirs se pailletaient d'étoiles.

Guilhen sourit. Elle ne le vit pas puisqu'il était toujours invisible mais, elle aussi sourit, comme si son cœur battait mystérieusement au même rythme que celui de Guilhen. Une odeur d'herbes fraîches émanait de son corps mince et achevait de griser Guilhen.

Il se pencha vers elle pour l'embrasser. Au même instant, il se souvint d'Aélis. Il se recula et ne donna pas le troisième baiser.

Alors, tout fut fini. La cabre d'or était de nouveau là, rouge sous la lumière de la lune.

— Insensé ! dit-elle.

Elle frappa le sol de ses sabots et sembla jaillir parmi les pierres écroulées qui se teintèrent, sur son passage, de lueurs fauves. Dans un bond foudroyant, elle atteignit le haut d'une colonne. Elle y resta perchée, en silence, pendant quelques minutes qui parurent à Guilhen longues comme l'éternité.

Le vent qui courbait les branches des pins semblait mourir sur sa silhouette de métal dur. Ses yeux de statue fixaient d'un regard vide la place où se tenait, invisible, Guilhen.

Enfin, du haut de son socle de pierre, elle lui cria en guise d'adieu, d'une voix qui résonna dans toute la vallée :

— Tu ne me reverras jamais, Guilhen. Et jamais personne ne te reverra ! Désormais, ton corps ne sera rien de plus qu'un souffle dans l'air, une fumée dans la nuit, un flocon de neige sur l'eau d'une fontaine. J'emporte avec moi le reflet mobile qui t'habillait. Je l'emporte dans les ténèbres. Je garderai cette enveloppe sans âme, je la moulerai dans l'or brûlant et ta statue resplendira sans fin dans la caverne de la cabre d'or.

La voix s'est tue. Les ruines sont désertes. Guilhen se passe la main sur le front, il ne comprend pas, murmure :

— Que veux-tu dire ?

Au loin retentit comme un rire éclatant. Et lointaine mais répercutée par l'écho la voix de la cabre d'or dit :

— Cherche donc ta poule blanche ! Cherche-la bien ! Au lieu de te jeter sur moi comme un fou, tu aurais mieux fait de la tenir solidement car maintenant c'est moi qui la tiens et je ne te la rendrai jamais !

Guilhen, affolé, tâte fébrilement sa ceinture, jette sur le sol un objet qui prend aussitôt la forme d'un panier. D'un panier vide. La cabre d'or a dit vrai. La poule blanche, sans laquelle il ne peut redevenir visible, a disparu.

Au même moment, quelque chose se détache de lui : un trait de feu aigu luit soudain en frappant la pierre : c'est une mince aiguille d'or qui ricoche et se perd dans une fissure pour y dormir pendant des siècles.

Guilhen la suit du regard. Il contemple avec égarement la vallée : nulle figure humaine sous la lune froide.

Il commence à marcher comme un somnambule. Nul ne peut le voir. Simplement, par place, les herbes s'écrasent en silence puis se relèvent, les tiges des colchiques se brisent l'une après l'autre. Ce sont ses pas que nul ne voit. Pas même le vent qui courbe, indifférent, les cimes des pins.

Les branches, dans les bois, semblent s'écarter d'elles-mêmes et retombent sans bruit comme un rideau sur un secret. C'est le passage de Guilhen que nul ne voit...

Sur la route, des cailloux craquent sans que personne les foule. Enrouée, la voix de la rivière murmure, on ne sait à qui — pas même à une ombre — « Aélis... Aélis... Aélis... »

Les noces de la princesse Aélis n'eurent jamais lieu. La cour du roi devint silencieuse, pareille à un lac de montagne, l'hiver. Les vivants semblaient s'y cacher.

Aélis traversait les salles vides comme si elle semblait attendre. Parfois elle écoutait les craquements furtifs des lames du parquet, guettait une tenture ondulant soudain. Alors, elle s'arrêtait, prêtant l'oreille à un mystérieux chuchotement. Ses lèvres bougeaient pour une réponse à mi-voix, comme on tente de consoler un enfant, un malade qui se tourmente.

Puis elle reprenait avec un soupir sa marche solitaire.

PIERRE DE PROVENCE
ET LA BELLE MAGUELONE

L'an mille approchait. En ce temps-là, un grand désordre régnait dans le royaume d'Arles. Ce n'étaient que rivalités et disputes de vassaux tentant d'arracher des morceaux de ses terres à un souverain trop faible. Rien que son nom parlait pour lui : Rodolphe le fainéant !

Seul, le comte Jean de Provence se tenait à l'écart dans sa seigneurie de Cavaillon. Au milieu du tumulte général, il avait fait de ce petit coin de la vallée de la Durance un séjour de charme et de paix.

Son épouse, qui était fille du comte de Barcelone, plaisait à tous par sa grâce et les jongleurs errants, sûrs d'être bien reçus, venaient au château de Cavaillon réciter leurs chansons de geste, leurs « dits » pleins de malice qui provoquaient les rires.

Jean de Provence avait un fils, Pierre, qui était un chevalier accompli, aussi habile à manier la lance dans un tournoi qu'à pincer les cordes de la harpe ; et les vers qu'il écrivait faisaient rêver les dames...

Il avait pour ami un liseur d'astres qui lui apprenait, la nuit, les constellations. Installé tout en haut d'une tour du château, il regardait tourner les rayons sur la rose des sables et guettait le lever de Vénus, l'étoile des bergers qui conduisit les Mages du lointain Orient jusqu'à Bethléem. Au matin, il redescendait de sa tour, fatigué et souriant d'un air songeur.

Un jour, des marchands venus de Naples abordèrent à Aigues-Mortes et remontant le Rhône vinrent saluer Jean de Provence. Ils furent ravis du bel accueil qu'on leur fit et, pour remercier leurs hôtes, leur racontèrent tout ce qu'ils avaient vu au cours de leurs voyages. Ils décrivirent ainsi le golfe de Naples au pied du Vésuve, puis les splendeurs de la cour, la gentillesse de la reine de Naples et la beauté de sa fille Maguelone.

À l'heure même où naquit cette princesse, disaient-ils, Vénus se levait dans le ciel et l'enfant était si blonde, ses yeux si semblables à deux étoiles bleues qu'on décida de l'appeler Maguelone — qui est le nom de Vénus aux rivages méditerranéens.

Pierre de Provence écoutait, frappé au cœur. L'assistance sourit de son émotion.

Les marchands repartirent mais Pierre, perdu dans son rêve, passa plus que jamais ses nuits à guetter le tournoiement des étoiles et surtout, chaque soir, l'apparition de Vénus, dans l'or vert du couchant. Il veillait jusqu'à l'aube, incapable de dormir. Et toute la cour pensait qu'il était sous l'influence fatale de Saturne.

L'astrologue avait beau lui répéter :

— N'attendez pas l'impossible. Saturne ne rejoint Vénus dans le ciel qu'une fois tous les sept ans. Après quoi, de nouveau tout les sépare pendant encore sept autres années.

Pierre le laissait dire. Est-ce que seulement, il l'entendait ? Il ne pouvait plus penser qu'à Maguelone qui incarnait au royaume de Naples l'étoile Vénus.

Un jour, enfin, il n'y tint plus et, sans réfléchir aux tourments qu'il allait causer à ses parents, il sella en grand secret son meilleur cheval, mit ses plus beaux habits, prit sa bourse et son armure et quitta le château au plus noir de la nuit.

Il chevaucha, seul, pendant des jours et des jours et arriva à Naples, la veille d'une grande fête. Des tournois devaient avoir lieu en présence du roi, de la reine, de la princesse Maguelone et de toute la cour.

Lors du dernier tournoi, un chevalier venu de Bohême qui avait jusque-là triomphé de tous ses adversaires lança un dernier défi. Pierre de Provence, qui était demeuré tout ce temps à l'écart, releva le défi. Le combat commença.

Il semblait à Pierre qu'il combattait en rêve et, lorsqu'il s'aperçut qu'il avait l'avantage et qu'il était vainqueur, il releva le chevalier de Bohême tombé à terre et lui donnant l'accolade, lui offrit sa propre épée.

La foule éclata en applaudissements et en

cris de joie. Le roi voulut connaître ce chevalier inconnu et le fit approcher. La belle Maguelone était à ses côtés et ne pouvait en dépit de ses efforts, détacher son regard du beau visage de cet étranger.

Le roi lui fit honneur et lui demanda son nom.

— Sire, dit-il, pardonnez-moi, mon prénom est Pierre je n'en puis dire davantage. Si mes parents sont obscurs, on m'accusera d'oser paraître dans un lieu aussi haut que votre cour et, s'ils sont illustres, je craindrais d'obtenir votre bienveillance plus en raison de leurs mérites que des miens propres.

Ce discours mystérieux ne contenta pas le roi. Mais il était courtois et ne laissa rien voir de sa déception. Il invita Pierre au banquet qui devait avoir lieu le soir.

La belle Maguelone était aussi intriguée que son père. Elle aurait aimé que ce chevalier ne fût venu là que pour elle, car il commençait à lui plaire beaucoup. Aussi, vers la fin du banquet, elle se risqua à lui dire :

— Vous n'avez fait hommage de votre victoire à aucune dame selon la coutume des tournois. Peut-être parce que vous êtes nouveau venu ici et n'en connaissez encore aucune ? Vous plairait-il d'être mon chevalier ?

Pierre, sans répondre, mit un genou en terre devant Maguelone et n'osant baiser sa main, baisa seulement le bas de sa robe.

Toute la nuit, Maguelone rêva à son beau chevalier. Moins patiente que son père, elle

Pierre de Provence releva le défi lancé par un chevalier venu de Bohême.

brûlait de savoir qui il était. Or, elle avait pour nourrice une captive grecque qui s'appelait Nice : pour un sourire de Maguelone, elle se serait jetée au feu.

La princesse l'envoya trouver Pierre pour tâcher d'apprendre quelque chose de lui.

Pierre ne pouvait refuser à Maguelone quelques paroles un peu plus confiantes que son excuse au roi. Il dit donc à la nourrice :

— J'appartiens à une noble famille de Provence. Mon père règne, non loin du Rhône, avec sagesse et honneur. Bientôt, j'espère pouvoir vous en dire davantage. Bientôt mais pas encore aujourd'hui.

En même temps qu'il parlait, il remit à la nourrice pour Maguelone, un anneau d'or, sans pierre ni emblème, simplement fait de deux joncs tordus ensemble, sans commencement ni fin.

La nourrice le transmit à Maguelone qui en fut ravie. Les jours qui suivirent, elle envoya Nice auprès de Pierre chaque fois qu'elle le put. Et chaque fois, Nice portait des lettres d'amour de l'un à l'autre.

Au bout de quelque temps, Pierre envoya une seconde bague faite d'un or ciselé cette fois. Y était sculptée une fleur de férigoule — que les Grecs appellent thym — et qui est l'emblème des déclarations d'amour. Quatre turquoises en formaient les pétales et sa tige mince était d'émail vert.

En envoyant cette bague, Pierre implorait un rendez-vous. Il l'obtint.

Quelques heures plus tard, Maguelone le reçut dans sa propre chambre dont le dallage noir et blanc était jonché de sauges en fleurs au milieu desquelles la jeune fille avait secrètement jeté un brin, un seul brin de férigoule.

Comme il l'avait déjà fait, le soir du tournoi, Pierre s'agenouilla devant Maguelone et, au même instant, vit, parmi les sauges, la minuscule fleur bleue du thym. Il la prit. Maguelone sourit :

— Votre amour, dit-elle, est celui d'un chevalier, je le vois bien et je ne peux vous cacher mon bonheur car vous êtes aimé comme vous aimez. Pierre, je vous ai choisi pour vous-même, non pour votre richesse, votre gloire ou la noblesse de votre sang. Mais ne voulez-vous pas, à présent, dire à votre amie qui vous le demande tendrement, votre secret ?

Pierre ne put résister au sourire de Maguelone. Il lui dit sa naissance à la cour de Cavaillon, ses parents, son goût pour les étoiles, le diseur d'astres, et Saturne et Vénus...

Elle l'écoutait et les heures passaient sans que ni l'un ni l'autre s'en aperçût. Nice les prévint que la nuit était venue et qu'ils devaient se séparer. Alors Maguelone passa au cou de Pierre une chaîne d'or et Pierre lui donna un troisième anneau qu'il portait au petit doigt et qu'ornait une pierre de grenat rouge vif.

Cependant, la cour de Naples et toute la ville intriguée ne cessaient de parler du beau chevalier étranger qui cachait si jalousement son nom, refusait de se mêler à la vie de tous, que nulle affaire de guerre ou d'argent ne semblait occuper, et qui pourtant demeurait là, comme retenu par un charme.

D'abord, en le voyant fréquenter le palais jour après jour, bien des gens le comblèrent de prévenances, par intérêt servile et pour faire leur cour à un personnage en si grande faveur. Puis, lorsqu'ils virent qu'il ne savait pas profiter de cette faveur pour obtenir quelque charge avantageuse, le vent tourna ! On se moqua de lui, on le calomnia, on chuchota dans les coins de petites chansons railleuses. En pure perte. Pierre y faisait aussi peu attention qu'aux compliments d'avant.

À la cour de Naples fêtes et bals, chevauchées et tournois continuaient de se dérouler. Pierre ne pouvait refuser au roi, son hôte, d'y participer.

C'est ainsi qu'on le vit, à plusieurs reprises, combattre, la lance au poing, portant au bras une écharpe de soie rouge et or, les couleurs de Maguelone. Il affronta les chevaliers les plus réputés pour leur adresse et leur courage comme Lancelot de Valois ou Édouard d'Angleterre — qui allait devenir roi — et il les vainquit.

Un jour, on annonça l'arrivée d'un chevalier venu des pays d'au-delà des Alpes, champion des plus fameux. Pierre vit paraître Jacques de Provence, son oncle, le propre frère de son père.

Il se présenta, à l'entrée de la lice, sans reconnaître son neveu, sous la visière baissée et le bouclier sans armoiries. Mais Pierre qui était bien forcé, lui, de le reconnaître, voulut refuser le combat.

Jacques de Provence crut à du mépris et l'injuria si violemment que Pierre ne pouvait plus refuser le duel. Il eut la chance de jeter son oncle à bas de son cheval sans le blesser. L'avantage était affirmé, l'honneur des deux adversaires, sauf. Pierre salua son oncle sans lever sa visière et ne parut pas au banquet qui suivit les joutes.

Mais à ce banquet, Jacques se trouva placé entre la reine et Maguelone. Sans trahir le secret de celui qu'elle aimait, Maguelone questionna Jacques de Provence sur sa famille et sur la cour de Cavaillon. Jacques lui apprit, ne se méfiant de rien, que son neveu Pierre, si aimé des Provençaux, avait soudain disparu, après quelques mois d'étrange humeur noire. Le comte et la comtesse, dit-il, se désespéraient, redoutant que leur fils n'eût mis fin à ses jours.

Le lendemain, Maguelone répéta à Pierre ce qu'elle avait appris et le jeune homme sembla revenir d'un long oubli : saisi de remords en pensant à la peine de ses parents, il supplia Maguelone de le laisser partir.

Elle accepta, mais à condition de partir avec lui. En vain tenta-t-il de la raisonner, de la convaincre d'attendre son retour à Naples. Il reviendrait au plus tôt, avec l'approbation de son père, demander au roi la main de Maguelone. Mais elle se révoltait contre ces délais que le cérémonial des cours allait imposer à leur bonheur. Elle tremblait à l'idée des dangers qui pouvaient surgir pendant leur séparation. Bref, Pierre ne put la persuader et ils convinrent de fuir ensemble.

À la nuit tombée, deux chevaux noirs s'éloignèrent des murs de Naples sans que nul y prît garde. À quelques lieues de là, une escorte armée attendait les deux amants.

On chevaucha toute la nuit. Vers l'aube, on fit halte sous un pin très vieux dont les branches tordues s'arrondissaient en dôme épais. La mer était toute proche et Maguelone s'endormit, la tête appuyée sur la poitrine de Pierre, bercée par le bruit régulier des vagues sur le sable.

Des touffes de myrte et des cistes blancs poussaient çà et là ainsi qu'un grenadier tout étoilé de ses fleurs rouges. Un corbeau était posé en haut de ce grenadier.

Pierre, qui ne pouvait dormir, contemplait le sommeil de Maguelone. La jeune fille était si épuisée de la longue chevauchée nocturne qu'en arrivant sous le pin elle avait laissé tomber dans l'herbe, près d'elle, une bourse aux mailles d'argent contenant ce à quoi elle tenait le plus au monde : les trois anneaux donnés par Pierre et qu'elle avait liés d'un ruban rouge et doré.

Soudain, le corbeau, attiré par l'éclat du métal, s'abattit du haut du grenadier, saisit la bourse dans son bec et s'envola.

Pierre dégagea doucement son bras passé sous le cou de Maguelone, plia son pourpoint pour le lui glisser sous la tête comme un coussin. Puis il improvisa une fronde, y plaça un caillou et, visant le corbeau, le blessa.

Malheureusement, le corbeau alla tomber dans la mer sans lâcher la bourse. Par chance, une barque était là, sur le sable. Pierre y monta et rama vers le corbeau. Mais le vent capricieux entraînait l'oiseau vers le large et la barque était lourde et n'avançait guère. Pierre s'obstinait sans s'apercevoir qu'il s'éloignait dangereusement de la côte. Un îlot lui cacha bientôt la vue du pin. Or, à l'abri de cet îlot, se tenait embusqué un vaisseau pirate. Les Barbaresques se jetèrent sur la barque. Pierre de Provence fut pris.

Ils ne lui firent aucun mal. Il était sans épée et tout étourdi de son malheur : plus désolé en cet instant de la bourse volée à Maguelone que de sa liberté perdue.

Sa tristesse toucha les matelots. La façon dont il était vêtu lui valut les égards réservés aux seigneurs. Ils jugèrent la prise bonne, emmenèrent Pierre à Tunis et l'offrirent au Sultan.

Le Sultan essaya de l'interroger, dans l'espoir d'obtenir de sa famille une grosse rançon car, lui aussi, se doutait bien qu'il n'avait pas affaire à un homme ordinaire. Mais Pierre ne voulut pas encore ajouter à la peine qu'il avait déjà infligée à ses parents — en les ruinant, qui plus est ! — et il garda le silence.

Le Sultan trouva cette attitude noble et loin de le contraindre à parler par la force, lui offrit de prendre du service dans ses armées.

Pierre accepta sans hésiter à la condition que jamais il n'aurait à combattre de chrétiens. Le Sultan avait assez d'ennemis chez les Infidèles, les pachas rebelles ou ses rivaux de Babylone, de Sorie ou de Morroc, pour que l'accord fût aisé.

Bientôt le renom du jeune capitaine chrétien, si brave et si souvent vainqueur, devint tel qu'il suffit à tenir en respect les ennemis les plus audacieux.

Le Sultan, reconnaissant, combla Pierre de cadeaux : armes précieuses, chevaux pur-sang, parures superbes, esclaves, palais... Il aimait l'avoir auprès de lui et le consultait dans les plus graves affaires.

Au bout de quelques années, sa fortune aurait été incroyable, sa puissance inouïe, si la puissance et la fortune avaient pu le séduire. Mais il demeurait toujours mélancolique et il était sans désirs. Il ne songeait qu'à Maguelone abandonnée, à ses parents dans le deuil. Il refusait tout ce qui aurait pu le lier davantage au Sultan et à la terre barbaresque. En vain lui offrit-on en mariage les plus nobles princesses musulmanes. Il les refusa, toutes.

Le Sultan qui lui portait une grande affection s'affligeait de le voir ainsi. Il le fit parler et peu à peu lui arracha quelques confidences. Mais il avait pour Pierre une amitié étrange et jalouse et ne pouvait accepter l'idée de faire son bonheur en le perdant. Il n'avait pas le courage de lui rendre la liberté et cherchait par quel moyen le retenir près de lui.

Pierre lui avait dit la beauté de Maguelone. D'ailleurs, sur toutes les côtes de la Méditerranée, jusque dans les îles les plus perdues, les navigateurs en avaient porté les échos.

Le Sultan envoya donc en Orient et en Occident des messagers munis de lourds sacs pleins de sequins d'or et il finit par trouver ce qu'il cherchait : une fille de même beauté que Maguelone.

C'était une Géorgienne aux mêmes cheveux blonds, aux mêmes yeux d'un bleu d'étoile et qui dansait divinement.

Il la donna à Pierre dans l'espoir qu'il retrouverait par elle son amour perdu et qu'il serait enfin heureux.

Pierre accueillit courtoisement la belle captive. Sa ressemblance avec Maguelone était étrange, en vérité et, un instant, le troubla. Mais ce n'était pas Maguelone et Pierre se retira seul dans son palais pour n'en plus sortir.

Quand le Sultan apprit l'échec de sa tentative, il fut d'abord en proie à une violente colère, fit enfermer Pierre dans un cachot et décida de le faire exécuter.

Mais un complot venait d'éclater contre le Sultan. La ville était soulevée, l'émeute montait, le palais allait être cerné et la défense faiblissait aux portes. Car la garde d'élite, recrutée par Pierre, ne voulait pas combattre sans son chef.

Devant ce péril extrême, le Sultan revint à la raison. Il fit sortir Pierre de son cachot et lui parla gravement, reconnaissant ses torts.

— Maîtrise ces fous et je ne te demanderai plus rien. Je te rendrai la liberté malgré ma tristesse et ne garderai que le souvenir de ton amitié.

Avant le soir, la rébellion était brisée. Le lendemain, dans la rade de Carthage, un navire armé par le Sultan levait l'ancre, emportant vers le nord Pierre de Provence.

*

Sous le pin, au bord de la mer, Maguelone n'avait pas dormi longtemps. Ne sentant plus sous sa tête le bras de Pierre, un froid l'envahit, une angoisse. Elle se dressa, Pierre n'était plus là.

D'abord, elle se reprocha son alarme. Les cavaliers de l'escorte continuaient à dormir en paix, à quelques pas de distance. Sans doute Pierre était-il allé reconnaître le chemin ou s'assurer, du haut de quelque colline, qu'ils n'étaient pas suivis.

Elle entrevit bien, au loin, sur la mer, une barque. Mais elle était si petite, prise dans un reflet de soleil tellement aveuglant qu'elle ne put distinguer le pêcheur qui était à bord. Ses yeux ne s'y arrêtèrent pas. D'ailleurs la barque disparut presque aussitôt derrière la pointe rocheuse d'un îlot.

Du temps passa. Les cavaliers de l'escorte s'éveillèrent à leur tour. Pierre ne revenait pas. On l'appela en vain à tous les échos. En vain les cavaliers partirent-ils à sa recherche dans la campagne environnante. Nulle part trace de lui.

Vers le soir seulement, elle repensa à la barque. On trouva sur le sable un chapeau à demi trempé et la trace d'une quille qu'on avait traînée.

Maguelone doutait encore : quelle raison aurait pu amener Pierre à monter seul sur une barque de pêche ? Quelle folie l'aurait empêché de revenir ? La mer était calme et il y avait peu de vent. Elle passa toute la nuit à s'interroger désespérément.

Le lendemain, voyant qu'elle ne voulait rien écouter et qu'elle était comme folle, les cavaliers de l'escorte la quittèrent, sous prétexte d'aller chercher des vivres. En fait, ils s'inquiétaient pour eux des suites de l'aventure, à présent que leur maître avait disparu.

Maguelone resta seule devant la mer. Elle ne pouvait ni pleurer ni gémir, seulement regarder fixement cet horizon bleu vif où avait disparu Pierre. Insouciante du soleil brûlant, de la faim, des heures qui s'écoulaient.

Dans la nuit elle commença à délirer et, au matin, tomba évanouie au pied du pin. Elle y serait morte si des pèlerins siciliens qui se rendaient à Rome ne l'avaient découverte. Ils eurent pitié d'elle et la ranimèrent mais elle continuait à dire des mots sans suite.

Ils l'emmenèrent avec eux et arrivèrent à Rome au bout de quelques jours. Là, ils conduisirent Maguelone dans un hôpital où des religieuses soignaient les pèlerins épuisés ou malades. On la reçut sans poser de questions. On n'en posa pas davantage quand elle eut retrouvé sa raison et ses forces. Car, en ces temps-là, plus d'un pèlerin avait son secret que l'on respectait.

Pour remercier les religieuses de leurs soins, Maguelone demeura plusieurs mois dans leur hôpital, soignant à son tour les pauvres et les abandonnés.

Sa beauté restait empreinte d'une tristesse grave et son rayonnement avait quelque chose d'étrange qui frappait au cœur même les plus désabusés.

Six années passèrent ainsi. La supérieure de l'hôpital de Rome forma alors le projet de fonder d'autres maisons pareilles à celle-ci sur les routes des grands pèlerinages. L'une d'elles devait s'élever en Provence.

La supérieure connaissait le dévouement de Maguelone et lui demanda si elle accepterait d'aller diriger cet hospice, bien qu'elle n'appartienne pas à l'ordre des religieuses et n'ait jamais laissé entendre qu'elle renonçait au monde.

Maguelone fut surprise et un peu confuse. Elle accepta car elle songeait toujours à Pierre de Provence et espérait en son cœur contre toute sagesse. De plus, ce voyage lui offrait le moyen de fuir un peu plus loin de Naples et d'une région où un hasard pouvait la faire reconnaître. Et puis, il lui semblait qu'en allant vivre en Provence, non loin de là où avait habité Pierre, elle empêcherait de mourir un rêve.

Un navire l'emporta donc avec les religieuses et la déposa au port d'Aigues-Mortes. L'hospice était déjà bâti, tout de pierres blanches, et en souvenir de son bien-aimé elle voulut qu'il portât son nom. Ce fut l'hôpital Saint-Pierre.

La renommée de sa beauté et de sa douceur ne tarda guère à voler de bouche en bouche à travers toute la Provence. La comtesse, au fond de sa retraite de Cavaillon, entendit parler de Maguelone.

Elle souhaita la connaître et, en même temps, oublier un peu de la douleur que lui causait la perte de son fils en soulageant les affligés.

Descendant la Durance et le Rhône, elle vint en visite à Saint-Pierre, afin d'y apporter des aumônes en mémoire de son fils disparu.

Quand Maguelone se trouva en face de celle qu'elle aurait tant aimé appeler sa seconde mère, elle éclata en sanglots et se jeta dans ses bras.

La comtesse fut surprise. Maguelone expliqua alors les raisons de son émotion. La comtesse passa d'un chagrin à l'autre sans avoir eu le temps de se réjouir, car, au bout du compte, son fils avait bel et bien disparu.

Elle invita cependant Maguelone à venir lui rendre sa visite à Cavaillon. Le comte, assurait-elle, serait heureux de connaître à son tour celle que son fils avait aimée. Puis elle fit préparer sa litière pour repartir.

Maguelone lui demanda de différer de quelques heures son départ et de prendre un dernier repas avec elle ; en effet, une tempête s'était élevée le matin, en mer, amenée par le vent d'Afrique et sur terre aussi le temps était agité, déconseillant un départ trop hâtif.

La comtesse accepta et attendit le dîner en compagnie de Maguelone. L'heure en approchait ; les serviteurs apportaient déjà les aiguières d'argent contenant l'eau aromatisée de cannelle et d'hysope avec laquelle les invités se lavaient les mains avant le repas. On frappa à la porte. C'était le cuisinier. Il s'excusa de déranger les nobles dames mais le cas était étrange.

— J'étais en train, dit-il, de préparer le poisson pour votre dîner. Un turbot superbe apporté pour madame Maguelone par un pêcheur qu'elle a soigné. Je fends ce turbot pour le vider et voici ce que j'y ai trouvé !

Il fit voir une bourse aux mailles d'argent que le poisson avait avalée. Maguelone ouvrit la bourse. Elle contenait trois bagues : l'une faite de deux joncs d'or nus tressés ensemble, la deuxième ornée de quatre pétales en turquoise formant la fleur de férigoule, la troisième portait en son centre un grenat rouge vif.

D'un coup, le passé déborda de son cœur et elle pâlit. La comtesse avait, elle aussi, reconnu les bagues. Dans l'étrange hasard qui les remettait sous ses yeux, elle voyait la preuve que son fils était mort, noyé en mer. Maguelone, au contraire, rêvait que ces bijoux retrouvés, ces bijoux que, sept ans plus tôt, lui avait donnés Pierre, étaient le signe d'un incroyable retour.

Elle voulut voir sans tarder le pêcheur qui avait apporté le turbot. Elle savait bien qu'il ne pourrait rien lui dire de ce qu'elle voulait entendre mais une force la poussait qu'elle n'aurait su définir.

Elle se rendit au port d'Aigues-Mortes et s'informa de l'endroit où le brave homme avait son bateau.

Parti en mer à l'aube, il venait de rentrer avec à son bord l'équipage d'un navire en détresse qu'il avait eu la chance de recueillir au cours de la soudaine bourrasque. Ces pauvres gens, épuisés par des heures de lutte demandaient l'hospitalité à Saint-Pierre. Leur capitaine était le plus mal en point : il avait voulu rester jusqu'au bout sur son navire désemparé et, une vergue, en se brisant, l'avait blessé à la tête. Il avait perdu connaissance.

Maguelone donna l'ordre de le conduire à l'infirmerie de l'hospice et annonça qu'elle viendrait le voir dès le lendemain quand il serait un peu remis et que le départ de la comtesse lui rendrait à elle-même plus de liberté.

Puis elle se hâta de rentrer pour saluer sa visiteuse et lui faire ses adieux. Les vents se calmaient, les bagages furent chargés. Les deux femmes s'embrassèrent, la litière se mit en route et Maguelone se retira chez elle.

Vers la fin de la nuit, le capitaine blessé reprit ses sens. Une religieuse avait lavé ses plaies de vin blanc mêlé d'une infusion d'herbes, remplacé le grossier pansement dont les marins lui avaient entouré la tête. Ses épais cheveux bruns avaient amorti le choc : il serait vite rétabli.

Mais une sorte de fièvre s'était emparée de lui, une fièvre inexplicable chez un homme si robuste et si légèrement blessé. Il ne cessait de s'agiter et de parler, voulait savoir s'il avait bien abordé à Aigues-Mortes, qui gouvernait la cité, qui gouvernait la province, quels événements importants s'étaient passés depuis sept ans et ainsi de suite...

La religieuse répondait comme elle pouvait et, pour le calmer, tira les volets, car le soleil commençait à chauffer fortement la chambre et elle lui conseilla de se reposer en attendant.

Il resta dans l'ombre, les yeux grands ouverts. Quand Maguelone arriva, la religieuse lui donna des nouvelles du blessé et lui parla de son étrange fébrilité.

Elle se dirigea vers la chambre, mue par une sorte de pressentiment. Elle ouvrit la porte. Le blessé reposait dans la pénombre. Il s'était enfin endormi. C'était Pierre, amaigri, brûlé par le soleil et les guerres mais il parut à Maguelone plus beau que l'adolescent d'autrefois.

Elle s'assit près de lui et le regarda dormir comme lui-même l'avait fait, sept ans auparavant sous le pin, au bord de la mer. Il s'agitait dans son sommeil, gémissait :

— Maguelone, pourquoi êtes-vous si loin de moi ?

— Je suis là, dit-elle. Près de vous, Pierre.

Il ouvrit les yeux. Encore plein de nuit, il ne distinguait rien dans la pièce étrangère. Mais cette voix, cette voix qui reprenait tout bas :

— Je suis Maguelone que vous avez tant aimée.

Tout le corps de Pierre se mit à trembler. Maguelone arracha la coiffe blanche et noire qui, depuis tant de saisons enserrait son visage. Ses cheveux blonds se déroulèrent, ses yeux bleus brillaient comme deux étoiles.

Elle se pencha vers Pierre de Provence qui la regardait ébloui. Comme le liseur d'astres l'avait prédit, Saturne et Vénus s'étaient rejoints enfin.

ROMIEU DE VILLENEUVE

À la cour de Raymond de Provence, qu'on appelle aussi le comte Bérenger, on ne voyait ni barons vêtus de fer, ni soldats à la mine farouche car le comte aimait la paix et les visages souriants. Il préférait une cour d'amour aux cérémonies d'apparat et ce n'est pas en somptueuses réjouissances qu'il aimait dépenser ses revenus.

Tout son faste consistait à entretenir une foule de troubadours et de jongleurs avec leurs instruments et quiconque savait déclamer un poème ou chanter une romance était sûr de se voir accueilli en ami dans la ville d'Aix, sa capitale.

Quand ils reprenaient leur chemin, il leur donnait, soit un pourpoint, soit un faucon royal dressé à la chasse, soit même un cheval. Aussi les poètes se le disaient-ils les uns aux autres et entretenaient-ils un perpétuel va-et-vient sur toutes les routes rayonnant autour d'Aix.

Mais à ce jeu, les biens amassés par les ancêtres de Raymond fondirent. D'autant que le comte ne se préoccupait pas plus de faire entrer l'argent dans son château qu'il n'avait de regret de l'en faire sortir !

Ses vassaux payaient la dîme quand ils y pensaient, ses intendants se trompaient dans leurs comptes, ses fermiers n'avaient jamais la somme voulue le jour de régler leur fermage et se bornaient à envoyer de temps en temps un boisseau de grain, un couple de volailles, un petit fût d'huile.

Peu à peu, le comte dut vendre ses armes damasquinées d'or, sa vaisselle d'argent et de cristal, ses bijoux et jusqu'à ses livres. Il ne s'en préoccupait pas davantage que de fanes légères envolées au vent.

Mais, à mesure que les tapisseries disparaissaient des murs, laissant voir de grands pans de pierre nue, que ses dressoirs ne brillaient plus d'aucun reflet vermeil, que le silence gagnait les écuries vidées de leurs chevaux, les amis se faisaient moins nombreux, les poètes plus rares.

Raymond ne s'en apercevait pas encore. Il fallut pour lui ouvrir les yeux, la décision qu'il prit, un matin, de marier sa fille aînée, Marguerite. Car le comte avait quatre filles, Marguerite, Aliénor, Sanche et Biétris. Toutes quatre fort jolies, vives d'esprit et rieuses.

Marguerite allait avoir vingt ans, il convenait de la marier. Raymond s'adressa d'abord à son voisin, le comte de Forcalquier, qu'on voyait souvent faire visite à la cour d'Aix. Le comte déclina l'offre avec des paroles polies, parla de l'honneur qu'on lui faisait et qu'il était trop petit suzerain pour une si belle princesse.

Raymond fut contrarié mais n'en marqua rien et s'en fut chez le prince d'Orange lui demander son fils pour Marguerite. Le prince répondit fort courtoisement qu'il aurait aimé, certes, mais que le comte de Toulouse venait de lui faire la même demande et que, ma foi, sa fille n'avait certes pas l'esprit et la beauté de Marguerite mais que... elle apportait en dot sept châteaux, les bijoux de sa mère qui avait été princesse de Castille et un coffre garni de piastres.

Raymond, le cœur plein d'amertume, se compara au comte de Toulouse et ne dit rien. Il décida d'écrire au pape, lui demandant de choisir parmi ses neveux un prince qui puisse convenir à Marguerite.

Le pape répondit que la croisade contre les Infidèles allait bientôt recommencer, qu'il fallait, à grands frais, équiper une flotte et que ses neveux, pour l'amour de la chrétienté, allaient épouser des filles de banquiers florentins ou d'armateurs vénitiens.

Raymond comprit alors ce qu'il s'était obstiné à ne pas voir : il était ruiné et chacun le savait. Sa cour d'amour était morte. Ses filles, si belles et si charmantes, lui seraient désormais refusées partout.

Il en eut une grande peine et voulut examiner s'il n'était pas possible de refaire sa fortune. Mais ses coffres étaient vides. Les comptes que lui présenta son grand sénéchal étaient si embrouillés qu'ils lui firent peur. Il y avait trop longtemps que les gens le pillaient et qu'il avait perdu l'habitude de les surveiller.

Le cœur serré, il parcourut son château. La pluie ruisselait entre les tuiles du toit et en pourrissait les solives. Le mistral s'engouffrait dans les corridors et courait sans obstacles à travers les salles désertes.

Alors il congédia les derniers troubadours, courtoisement, car son cœur gardait la gentillesse des temps heureux.

***

Une nuit de Noël qu'il gelait à pierre fendre, après avoir brûlé ses dernières souches d'olivier, de vigne ou de buis, Raymond s'aperçut qu'il n'avait plus même de quoi se chauffer : juste une touffe de romarin sec.

Il la posa sur le feu. Elle jeta un éclair vif et bref. L'odeur tonique du romarin se répandit dans la pièce. Raymond la respira avec un sourire un peu triste. En d'autres temps, il y aurait eu un troubadour ou un poète pour célébrer cette odeur-là. Pas ce soir. Plus aucun soir.

Soudain, il vit qu'un homme était entré et se tenait à ses côtés, l'air calme, drapé d'un manteau sombre.

— Comte Raymond, excusez-moi : la ville d'Aix dort tout entière, votre porte était grande ouverte et je n'ai croisé personne dans vos escaliers. Il faut croire que vous ne craignez pas les voleurs ! Je suis un vieil homme fatigué et glacé. Je suis entré pour vous demander l'hospitalité.

— Je n'ai guère à t'offrir qu'un escabeau au coin de ce feu qui meurt. Mais je te l'offre volontiers.

Le nouveau venu avait retiré son lourd chapeau pareil à du cuir tordu et aussi large qu'une roue. La lueur du foyer fit ressortir de l'ombre son visage raviné, sa barbe blanche. Il posa son long bâton au sommet duquel pendait une gourde. Puis, s'approchant des chenêts pour s'asseoir, il entrouvrit sa cape de bure dont le vaste col rabattu lui couvrait les épaules : des coquilles Saint-Jacques étaient cousues tout autour comme des palmettes couleur d'os. Elles cliquetèrent. Sur la poitrine du voyageur, était accrochée une touffe de romarin vert sombre.

En l'apercevant, le comte dit :

— Je vois à ton costume que tu es un pèlerin. Tu viens de Saint-Jacques-de-Compostelle si j'en juge par tes coquilles et ce romarin est, sans doute, le signe que tu te rends à Rome ?

— Comte Raymond, ailleurs qu'à Rome on peut chercher son salut. Oui, je reviens d'Espagne et je souhaite aller à Rome, un jour. Mais ce soir, je l'avoue, une grande lassitude m'avait saisi quand, soudain, le vent m'a apporté l'odeur de ce feu de romarin et je suis venu ici, me souvenant que le romarin est plante d'espérance puisqu'il est seul à fleurir quatre fois l'an, au cœur de l'hiver comme au cœur de l'été.

— Si tu étais venu un an plus tôt, pèlerin,

Le nouveau venu ôta son chapeau et entrouvrit sa cape, laissant voir des coquilles Saint-Jacques cousues sur son habit.

pour un discours, pour une chanson, je t'aurais hébergé aussi longtemps qu'il t'aurait plu. À présent je suis pauvre. Mais, si cela te suffit, je peux partager avec toi le pain, les fruits et l'eau claire qui me restent.

Le pèlerin accepta et, tout en mangeant le modeste repas qui lui était offert, dit :

— Il m'apparaît, comte Raymond, que le malheur n'a pas réduit votre âme au désespoir, ni fermé votre cœur. Pourtant ces richesses perdues, ne vous arrive-t-il pas de les regretter ?

— Si je les regrette, romieu[1], ce n'est pas pour moi. Non, je ne regrette pas mes biens, sauf quand je pense à mes filles. Elles sont sages autant que belles et je voudrais leur donner de bons maris. Mais, parmi les princes, de nos jours, il s'en trouve bien peu qui soient de vrais chevaliers. Même les meilleurs, les plus nobles, se voient contraints par l'orgueil familial à réclamer une forte dot au père de celles qu'ils épousent. Comment pourrais-je songer à eux ?

Le pèlerin garda un moment le silence puis il dit :

— Comte Raymond, en remerciement de votre accueil, je voudrais vous rendre pour vos filles la richesse que vous avez perdue. Laissez-moi essayer. Confiez-moi le gouvernement de votre maison et de vos terres. Qu'avez-vous à craindre de pire que ce qui est ?

En parlant, il s'était levé, soudain plein de fougue et il en paraissait plus grand, moins

---

1. Ainsi appelait-on les pèlerins sur la route de Rome.

vieux. Raymond Bérenger trouva l'aventure si folle, et si belle à chanter, qu'elle aurait pu inspirer un trouvère. Il n'hésita pas un instant :

— J'accepte, romieu, et j'ai foi en toi. Mais qui donc es-tu ?

— Un pécheur dont le nom importe peu. Je vous le dirai quand j'aurai refait votre fortune si alors vous voulez toujours le savoir.

— Soit. Je t'appellerai Romieu. Mais pour que mes sujets ne méprisent pas en toi un inconnu sorti d'on ne sait d'où, dis-moi au moins le nom de ta ville natale.

— Cela, je le peux car je n'y reviendrai jamais, par pénitence et j'espère qu'on y a oublié mes folies de jeune homme et même ma disparition bien ancienne déjà. Je suis né à Villeneuve, sur le Rhône.

— Tu seras donc désormais pour tous ici, pèlerin, Romieu de Villeneuve et, si tu tiens parole, c'est sous ce nom que tu traverseras les siècles. Mais viens avec moi que je te conduise aux appartements qu'occupait mon chancelier.

— N'avez-vous pas plutôt, comte Raymond, sous les combles d'une tour quelque colombier vide ? Accordez-moi d'y loger, si le soleil levant y frappe : c'est le domaine préféré des ramiers voyageurs.

— Tu auras donc la tour du levant. Suis-moi.

Tout en haut d'un escalier en colimaçon, Raymond ouvrit une petite porte arrondie et, devant le seuil, s'arrêta, s'inclina devant son hôte en disant avec vénération :

— Sois béni, Romieu, mon ami.

Trois années passèrent. Le château de Raymond Bérenger bourdonnait de nouveau comme une ruche gaie. Tout revivait, des écuries au lavoir, des cuisines aux fauconneries. Dans la campagne, les moulins ronronnaient sans trêve, des pressoirs à olive, l'huile coulait dans les jarres, les prés résonnaient du grincement des faucilles et les labours du pas des chevaux.

Romieu de Villeneuve, toujours vêtu de bure sombre, les pieds nus dans ses sandales de pèlerin pauvre, surveillait tout cela, qui était son œuvre. Le résultat de mois de longue lutte calme avec les forestiers, les meuniers, les fermiers, les pêcheurs et jusqu'aux gardiens des ponts à péage. Maintenant, les redevances rentraient, les comptes s'alignaient sur les parchemins, la prospérité renaissait.

Souvent, après ses courses et ses veilles, Romieu grimpait à son colombier, s'enfermait deux ou trois jours de suite ; pour tenir en secret ses comptes, disaient les uns, pour faire pénitence, disaient les autres. À personne, il ne se confiait.

Un jour, il dit à Raymond :

— Vous trouverez ce soir dans votre chambre quatre coffres pleins d'or. C'est la réserve que j'ai amassée pour vous pendant ces trois années, une fois payées les dépenses de votre cour et de votre état. Quel usage voulez-vous en faire ?

— Tu sais que mon vœu le plus cher est de marier mes filles, dit le comte. À chacune, je vais donner en dot un sac d'or.

— Vous ne vous entendez guère mieux que jadis à faire vos affaires ! Il faut donner les quatre à Marguerite, votre aînée. À dot royale, époux royal. Elle épousera le roi de France.

— Romieu, tu n'y penses pas ! Le roi de France !

— J'y pense très bien. Après quoi, vous marierez vos autres filles aux plus hauts seigneurs et sans avoir besoin de dot !

Le comte Raymond était ébranlé et fit ce que lui conseillait Romieu. Louis de France trouva Marguerite belle et sage. Et madame Blanche, sa mère, trouva, elle, le comté de Provence bien géré et les quatre sacs d'or de la dot, signe évident de prospérité.

Les noces se firent sans retard et la jeune reine, radieuse, partit pour Paris, emmenant avec elle ses sœurs à la cour du Louvre.

Les Anglais venaient de faire la paix avec la France. Le roi d'Angleterre, Henri III, eut l'idée d'épouser une des sœurs de Marguerite. Ce fut Aliénor qu'il choisit. Il la prit sans dot et les noces se firent.

Son propre frère, Richard de Cornouailles, épousa la troisième fille du comte Raymond, Sanche à la blonde chevelure. Peu de temps après, il fut élu roi de Germanie et couronné empereur du Saint-Empire romain.

Le comte Raymond était au comble de la joie et ne savait comment récompenser Romieu. Il voulait le faire baron, lui constituer un fief. Pour cela, il fallait savoir son nom. Or Romieu le taisait toujours.

— Je n'ai pas achevé ma tâche, disait-il. Votre quatrième fille est encore à marier.

Or celle-ci, la quatrième, Biétris, toute brune et bouclée, eut une dot, une très belle dot : la Provence. Car le comte Raymond n'avait pas de fils et Bietris refusait de quitter cette terre qu'elle aimait pour aller vivre au loin comme ses sœurs.

Elle épousa le frère du roi de France, Charles d'Anjou au profil d'aigle, au sourire silencieux, un peu triste, le prince venu du Nord qui avait un teint brûlé de méridional. Un jour, il serait donc comte de Provence et gouvernerait à la place du comte Raymond.

Cette fois, il semblait que la tâche de Romieu fût achevée, mais il taisait toujours son nom. Il s'enfermait de plus en plus souvent, de plus en plus longtemps au sommet de sa tour sans que personne sache ce qu'il y faisait. Sa barbe avait encore blanchi, le feu sombre de son regard semblait sonder les âmes des courtisans qu'il croisait dans le palais et ils en avaient peur.

Ils commencèrent à chuchoter entre eux, à mal dire, à soupçonner Romieu d'entasser dans sa chambre, à l'insu du comte, des trésors volés. D'ailleurs, d'où venait-il ? Qui était-il ? Quel passé de vols et de rapines, de crimes même peut-être, cachait-il si soigneusement ?

Raymond d'abord les fit taire puis la calomnie fit son chemin dans son cœur. Un soir où le festin avait été plus long que de coutume et où les vins avaient échauffé la tête du comte, il voulut en avoir le cœur net et décida d'entrer dans le colombier, en haut de la tour où jamais il n'avait pénétré — par respect envers Romieu.

Tous les courtisans le suivirent, curieux de la suite et riant déjà méchamment. En vain le comte tenta d'ouvrir la porte. Il ne put y parvenir. La fureur le saisit. Il réclama une hache et comme un furieux donna de grands coups dans le bois qui se fendit et éclata.

À cet instant, le pèlerin surgit :

— J'étais sur la terrasse haute à regarder le chemin de Saint-Jacques parmi les étoiles. Mais que signifie cet assaut à ma porte ? Que veux-tu donc, Raymond ?

— Le trésor que tu m'as volé ! Faux romieu qui te cache depuis tant d'années !

— Entre !

Dans le vieux colombier, il n'y avait rien que, dans les niches où logeaient les colombes, des registres et des liasses de parchemin — les comptes, Raymond le savait et s'en détourna avec dépit.

Soudain il aperçoit, sous le lit, un coffre, le tire à lui, l'ouvre avec rage. On voit apparaître un bâton de pèlerin, un chapeau dont il a fallu replier les grands bords, un manteau de bure où des coquilles jaunies cliquettent comme des os. Et une touffe de romarin, toute sèche.

Raymond a compris sa folie. Il semble foudroyé de honte. Romieu ne le regarde plus, il déploie le manteau, le met sur ses épaules, prend le bâton, couvre sa tête du chapeau et disparaît.

Raymond crie de désespoir :

— Romieu, reviens ! Romieu, pardonne-moi !

Mais dans l'escalier de la tour où les courtisans s'écrasent, nul ne l'a vu passer. Un souffle froid descend. Romieu est parti pour quel pèlerinage, emportant sa peine, son amitié trahie et son secret ?

LA PROCESSION DU LION

Au temps où le roi Saint Louis s'embarqua à Aigues-Mortes pour aller en Terre sainte combattre les Infidèles, bien des seigneurs et des chevaliers de Provence se joignirent à lui.

Du nombre étaient deux frères, Fouque et Raimbaud, tous deux seigneurs de Saint-Marc.

Leur fief était une assez pauvre terre, au nord du mont Venture — la montagne Sainte-Victoire —, non loin de Vauvenargues.

Pas dans le val lui-même, si abrupt, si aride, avec ses grandes coulées sulfureuses, ses ocres éteints, ses gris-vert, ses rouges sombres — des couleurs de pierres lunaires, vrai décor d'une autre planète. Non. Une terre pauvre mais pas à ce point. À quelque distance de là.

Le petit bois de pins poussait même près du château. Un gros château trapu flanqué de quatre tours : trois rondes, une carrée. Il avait été bâti sur le modèle d'une commanderie de Templiers par un aïeul de Raimbaud et de Fouque parti à la 1re Croisade aux côtés de Gérard de Martigues, de Tancrède et de Bohémond.

Raimbaud avait un fils, Raymond ; Fouque, une fille qu'il avait prénommée Jaumette en l'honneur de l'apôtre saint Jacques que l'on révère à Compostelle. Jaume étant l'équivalent de Jacques dans la langue de Provence.

Ces enfants étaient nés, par un curieux hasard, le même jour du même mois de la même année. Et pas n'importe quel jour !

Au soir du solstice d'été, à l'heure où ceux du Lubéron traversent la Durance et gravissent le mont Venture pour y allumer un grand feu de joie et y danser la farandole en l'honneur de sainte Victoire et du soleil d'été.

De cette naissance solaire, les deux enfants portaient la marque, chacun à sa façon : les yeux noirs de Raymond avaient l'air pointillés de flammes, les cheveux de Jaumette avaient le blond ardent du soleil à sa plus chaude heure.

Et puis, un entrain à vivre, un rayonnement qui les faisait remarquer où qu'ils aillent. Garsende, leur nourrice, s'en paonnait assez, elle dont ils avaient sucé le lait car leur mère à tous deux était morte en leur donnant le jour.

Certes, Raimbaud et Fouque étaient bien désolés de quitter de si beaux enfants mais escorter le roi de France en Terre sainte était un honneur pour un chevalier. Et l'idée de guerroyer, en assurant le salut de leur âme qui plus est, n'était pas pour leur déplaire.

C'étaient, de tout temps, de fiers batailleurs,

ces sires de Saint-Marc. Raymond, pour jeune qu'il fût, était déjà de la lignée. Quant à Jaumette, combien de fois n'avait-elle pas été surprise et réprimandée par Garsende pour avoir troussé ses cottes, enfilé les chausses de son cousin et, un bâton de chêne vert en main, estoqué comme un vrai garçon des ennemis imaginaires !

Raymond et Jaumette allaient atteindre leurs quinze ans quand leurs pères décidèrent de s'en aller à la Croisade. Et Raymond eut beau prier, supplier, pour les suivre, Raimbaud se montra ferme, refusa net et dit :

« Beau fils, nous ne pouvons partir, ton oncle et moi, laissant en quelque sorte tous nos biens en jachère à la merci du premier voisin pillard venu. Nous te confions la garde du château et la défense de nos terres. Et si, à Dieu ne plaise, nous ne devions pas revenir, que chacun ici te considère comme notre légitime héritier. »

Ce discours tenu dans la salle d'armes du château devant les serviteurs assemblés, les gardiens de troupeaux, les laboureurs, le forgeron et le tenancier du pressoir à olives, provoqua cette rumeur sourde qui est l'approbation des foules.

Les femmes poussèrent un ou deux gémissements que Raimbaud balaya d'un geste puis il bénit son fils, Fouque, sa fille, et les deux frères s'en furent, à grand arroi, par la caillasse des sentiers d'où leurs chevaux faisaient lever comme un blanc panache de poussière.

Les premiers temps qui suivirent leur départ,

173

Raymond et Jaumette se sentirent désemparés. Ils jouaient le châtelain, la châtelaine, comme les enfants qu'ils étaient encore mais le cœur n'y était pas.

Raymond gardait la nostalgie de n'avoir pu partir se battre et Jaumette était triste de sa tristesse à lui.

Vint le soir de leur anniversaire, le soir de la Saint-Jean, du solstice d'été.

Sur les collines la nuit se piqueta de flammes.

— Viens, dit Jaumette, allons danser.

Raymond se fit un peu prier puis la suivit.

Le feu était allumé sur une grande roche plate pour éviter que ne grillent avec lui toutes les herbes alentour, la sauge et la sarriette, la lavande et le thym. Mais on avait mêlé aux branches de chêne vert et de viornes, au kermès et aux argérats, des touffes de romarin qui embaumaient l'air.

C'était un soir tranquille, sans mistral pour vous estribouler, sans vent d'est pour faire pleuvoir, bref un premier vrai soir d'été. Au ciel toutes les étoiles et, montant du feu, ces autres étoiles que font les étincelles. Autour, garçons et filles dansaient la farandole, leurs sabots claquaient en cadence, leurs yeux brillaient.

Jaumette entra dans la danse. Elle avait posé sur ses cheveux une couronne de feuilles de laurier tressées avec des fleurs de farigoule. On eût dit un feu d'une autre sorte, un feu couronné.

Raymond se tenait dans l'ombre un peu à l'écart et la regardait comme s'il la voyait pour

174

la première fois. Pour la première fois il pensait qu'elle était belle, comme la flamme, comme la reine de l'été, bref qu'il l'aimait. Il resta là un petit temps à ruminer sa découverte, puis en garçon impatient et violent qu'il était, il disloqua la farandole, saisit Jaumette par le poignet et l'entraîna en courant loin des gens.

Elle le suivit, étonnée d'abord mais encore rieuse puis essouflée et mi-inquiète, mi-fâchée. Quelle mouche le piquait ?

Il s'arrêta enfin hors d'haleine, juste au bord de cet endroit sauvage aux grandes coulées de pierres lunaires, ce décor d'une autre planète, près du val de Vauvenargues.

Jaumette n'avait plus l'air de la reine de l'été, mais d'un enfant effrayé : sa couronne de laurier tressé s'était défaite. Ne restaient que les fleurs bleues de farigoule éparpillées dans ses cheveux. Elle regardait Raymond : jamais elle ne lui avait vu des yeux aussi brillants, dans leur noir de jais tant de flammes dansantes.

Il dit : — Je t'aime.

Et toute sa peur s'envola. Elle eut même envie de rire mais se retint, dit gravement :

— Moi aussi.

Il dit : — Depuis longtemps.

Elle : — Depuis toujours.

Ils rentrèrent au château où Garsende les attendait, mécontente :

— Où étiez-vous passés ? C'est bientôt l'aube. Je me rongeais les sangs.

Ils répondirent :

— Nous allons nous marier.

Et elle grogna :

— Pas trop tôt !

Mais comment célébrer des noces, inviter des voisins, boire, manger, chanter, se réjouir quand vos pères sont à guerroyer en terre lointaine contre l'Infidèle ? Morts ou vivants, qui le sait ?

D'un commun accord Raymond et Jaumette décidèrent pour se marier d'attendre leur retour. En l'espérant rapide dans le secret de leur cœur !

Or, à quelque temps de là, une terrifiante nouvelle se répandit dans toute la région : une bête extraordinaire, inconnue, fabuleuse, un monstre pour tout dire semait la peur et la désolation dans les troupeaux, dans les villages, attaquant moutons, bergers, hommes, femmes, enfants.

Il bondissait sur eux dans des rugissements sauvages, leur plantait dans les chairs des griffes dignes de la Tarasque, des crocs pires que ceux des loups et les dévorait tout vivants.

Personne n'osait plus se risquer ni dans les champs ni sur les routes. À peine si l'on se hasardait dans les jardins et encore au grand jour et la fourche en main.

Plus de parties de boules, plus question de prendre le frais sous le figuier devant sa porte. Dès la tombée de la nuit — ces nuits de plein été si chaudes, si étoilées, si parfumées, si douces — les villages étaient comme morts, les gens claquemurés chez eux, suant de peur et de chaleur.

Il fallait faire quelque chose. Cette situation ne pouvait durer. Une ambassade vint du village au château. Curé en tête.

Raymond les reçut dans la grande salle d'armes où quelques mois plus tôt son père lui avait confié la garde de ses terres et de ses gens.

Il écouta les doléances, demanda des précisions sur le monstre. Un très vieux berger, qui avait été pris autrefois par les pirates barbaresques et emmené captif en Barbarie, déclara :

— Je m'étais caché l'autre nuit derrière un buisson d'épineux et ce que j'ai vu de ces deux yeux-là m'a tout l'air de ressembler à un lion comme j'en vis chez les païens d'Afrique.

Il y eut des exclamations : Un lion ! Mais comment un lion, une bête féroce d'Afrique serait-elle venue jusque-là ? En nageant ? En volant peut-être ?

— Un miracle est toujours possible... hasarda le curé.

L'indignation fit s'étrangler : Un miracle, ça ? Beau miracle à rebours que cette bête fauve qui vous dévorait tout vivant !

— Peu importe l'origine de l'animal, coupa Raymond d'un ton ferme. En l'absence de mon père, je suis votre seigneur. Je vous dois protection. Vous l'aurez. Retournez tranquilles chez vous. Ce lion, je jure sur l'évangile de vous en délivrer.

Il retint le vieux berger pour un surplus de précisions.

Il apprit ainsi que le fauve ne chassait qu'après la tombée de la nuit. Il convenait de se mettre à l'affût vers cette heure. Par ailleurs il semblait que son repaire fût dans le val de Vauvenargues, le val lunaire.

Raymond décida de s'y rendre, sans plus attendre, le soir même.

Quand Jaumette l'apprit, elle ne pleura ni ne cria ni ne gémit mais, levant d'un coup son petit menton volontaire, dit simplement :

— Je viens avec toi.

Raymond en eut un haut-le-corps :

— Toi ? Jamais de la vie !

— Et pourquoi non ? N'ai-je pas, depuis mon enfance, suivi toutes les chasses ? Couru à tes côtés le renard, le sanglier, le loup ?

— La chasse de ce soir ne sera pas du même ordre. Le danger sera trop grand, j'irai seul !

— Raison de plus pour que je t'accompagne.

Raymond dut se faire violence pour ne pas lui céder. C'était leur première querelle depuis qu'ils s'aimaient. Et il n'était pas du tout assuré de rentrer vivant de cette chasse-là.

Pourtant il prit son air le plus dur, sa voix la plus cassante, ordonna :

— Je t'interdis de me suivre. Tu resteras ici avec Garsende.

Jaumette hocha la tête et tourna les talons. Du reste du jour, il ne la revit pas. Aussi ne se méfia-t-il pas ; or, elle était très obstinée...

Le soir venu, il quitta le château pour se rendre à l'endroit indiqué par le vieux berger. Il portait au côté sa meilleure épée et à sa ceinture une dague effilée qui venait d'Italie.

Il attacha son cheval juste à l'entrée du val

au dernier arbre qu'il trouva et poursuivit sa route à pied. Le soleil couchant donnait à ces grandes coulées de pierres d'étonnantes couleurs, avivant l'éclat irréel de leurs teintes lunaires.

Raymond retint un frisson et, se coulant derrière un maigre buisson d'épineux, s'y dissimula du mieux qu'il put. Puis il attendit.

Ce fut d'abord à son odeur, plus fauve, plus âcre que celle d'aucun gibier qu'il reconnut l'approche du lion. Puis un rugissement se répercuta en écho prolongé à travers le val. Enfin l'animal parut.

Superbe, avec sa large tête, sa crinière ondulée, son corps souple. Raymond le jugea un ennemi digne de lui et sortit du fourré.

Le lion s'était immobilisé, semblant lui aussi jauger son adversaire. Puis il bondit. Le jeune homme et la bête roulèrent ensemble au sol. Mais Raymond tenait au poing sa dague. Il réussit à l'enfoncer dans le corps du lion. L'animal relâcha sa prise un bref instant. Alors, tirant son épée, Raymond frappa de toutes ses forces. Le lion recula, tenta de bondir à nouveau, n'y parvint pas et s'enfuit, perdant tout son sang.

Raymond, l'épée au poing, le suivait, escaladant les roches, glissant, se raccrochant aux touffes d'épineux, seule végétation de ces lieux désertiques.

La lune qui s'était levée ajoutait à cette poursuite, dans un pareil décor, une étrangeté de plus.

Soudain, un cri humain retentit, tout proche. Raymond se précipita. Dans une anfractuosité du roc le lion gisait, mort, près d'un corps inanimé, celui de Jaumette.

La folle fille avait suivi, malgré sa défense, celui qu'elle aimait. Le lion l'avait surprise et, dans un ultime sursaut, attaquée.

Raymond se pencha sur la jeune fille avec angoisse et désespoir : le cœur battait encore !

Alors il fit un vœu, il promit à saint Marc (le saint patron de sa famille dont le lion était l'animal symbolique) d'organiser chaque année une procession en son honneur, au jour de sa fête votive, si Jaumette guérissait.

Elle guérit et cette fois ils n'attendirent pas le retour de leurs pères pour se marier. Mais par une chance extraordinaire, ces derniers arrivèrent juste au moment où les deux jeunes gens échangeaient les anneaux. La joie fut donc complète.

Raymond n'oublia pas son vœu. Et l'on vit, longtemps après lui, le 21 avril, fête de saint Marc, amener devant l'église du village un char surmonté d'une peau de lion que traînait un cheval au galop. Entre les garçons du pays c'était à qui tirerait le plus de traits sur cette peau. Car c'était là la peu banale procession que Raymond avait imaginée pour remercier saint Marc d'avoir guéri Jaumette.

L'ÉTOILE DE BALTHAZAR

Quand les Rois Mages furent venus, en suivant l'Étoile, depuis leur lointaine Chaldée jusqu'à Bethléem en Judée, ils offrirent à l'Enfant-Dieu de l'or, de l'encens, de la myrrhe. Cela chacun le sait. Et qu'ils étaient trois : Melchior, Gaspard et Balthazar.

Mais ce que la plupart ignorent — sauf en Provence et pour cause ! — c'est que, venus à trois, deux seulement repartirent dans leur pays. Balthazar, lui, resta.

Il se promena un petit temps à travers la Palestine, au pas chaloupé de ses dromadaires. Ses serviteurs en robe rayée portaient sa grande théière en cuivre, les gargoulettes en terre où reste fraîche l'eau, sa lunette pour observer les astres et la tente en cuir qu'on dressait chaque soir pour lui.

Mais il avait beau passer une partie de ses nuits à scruter le ciel, il ne voyait plus luire « son » Étoile plus brillante qu'aucune autre constellation, avec son éclat froid et bleu. Alors il poussait des soupirs et se couchait triste.

Un soir, il arriva sur la côte de Palestine et, pour la première fois, Balthazar vit la mer. Lui qui ne connaissait que la Chaldée pierreuse, les déserts de sable qu'il avait traversés et l'eau souvent saumâtre des rares puits des oasis, il fut, à l'instant, sous le charme.

Il faut dire que, ce soir-là, cette coquine de Méditerranée faisait, en plein, son enjôleuse : lisse à la croire devenue lac, fraîche, bleue avec de petits murmures amoureux sur le sable, des tendresses de coups de langue, et juste quelques petits bonds naïfs de vaguelettes comme des agnelets dans les prés.

Lorsqu'il eut fini de la contempler et qu'il leva le nez, Balthazar vit avec stupeur dans le ciel un peu verdi de la nuit qui tombait, l'Étoile, son Étoile, soudain réapparue. Il en perdit la tête, acheta sur-le-champ une galéasse à un Grec de Chypre venu vendre du vin et embarqua, dare-dare, ses dromadaires, ses serviteurs, sa théière, ses gargoulettes, la lunette à astres, la tente en cuir et tout de même un ou deux marins que le Grec lui vendit en même temps que son bateau. Car Balthazar n'avait jamais navigué.

En avant ! On hissa les voiles. Il soufflait une jolie petite brise de nordé, juste ce qu'il fallait pour que notre Roi Mage, au comble de l'excitation et de la joie, vît sans regret s'éloigner les côtes de Palestine.

Où allait-il ? Vers quelle terre cinglait-il ?

Cela, il l'ignorait, superbement, et s'en moquait tout à fait. Cette eau si bleue, si tendre, le berçait ; chaque nuit, l'Étoile réapparaissait, juste en haut de la grande vergue. C'était le Signe. Elle continuait à le guider.

On relâcha à Famagouste pour faire des vivres et de l'eau et aérer un peu les dromadaires qui s'ennuyaient. Ils obtinrent un franc succès auprès des habitants qui n'en avaient jamais vu, juste entendu parler de ces animaux aux bosses étranges par des marins vénitiens ou des trafiquants d'épices et de soie venus du Levant.

Ce fut au lendemain de l'escale que les ennuis commencèrent. Et quels ennuis ! Une de ces tempêtes, comme seule la Méditerranée en connaît ! D'ailleurs, tous les marins d'ici vous le diront : plus traîtresse que notre mer, il n'y a guère que la femme.

Le mistral se leva d'un coup. Adieu les vaguelettes, l'eau bleue lisse comme la peau d'un fruit, les mignardises, les tendresses...

Des bouillonnements, des rugissements, des gouffres entrouverts, des à-pics mouvants à donner cent vertiges et au milieu, la galéasse, démâtée, voile déchirée, bondissant, retombant, tournoyant, tossant sur des lames courtes — les pires — d'abord rageuses puis furieuses.

Les serviteurs épouvantés, cramponnés aux gargoulettes, invoquaient les dieux de Chaldée, les dromadaires, en proie au mal de mer, blatéraient lamentablement — les entendre fendait le cœur. La grosse théière en cuivre roulait comme une folle d'un plat-bord à l'autre. Un coup de mer avait emporté la tente de cuir...

Rivé à sa lunette à astres, le cœur un peu brouillé, Balthazar essayait de comprendre ce qui lui arrivait. Au-dessus de sa tête, des pans entiers de ciel chaviraient et, la nuit venue, son Étoile semblait bondir du ras de l'eau jusqu'aux cimes. Seule consolation dans cette furie des flots : elle était toujours là.

La tempête dura trois jours entiers. Puis un dernier coup de mistral jeta la galéasse droit sur des sables. Elle s'y coucha dans un bruit de bordés qui cassent et demeura là. Immobile enfin.

Balthazar n'eut qu'à faire deux enjambées pour être sur ce même sable. Les serviteurs, un à un, le suivirent flageolant, verdâtres, encore épouvantés. La théière n'était plus que bosses. Quant à celles des dromadaires, elles pendaient, lamentables et flasques, comme après trente jours de désert !

Et où avait-on abordé ? Sur quelle terre ? En quel pays ?

Rien qu'à respirer l'air qui lui venait droit dessus, depuis les collines barrant l'horizon, Balthazar aurait dû trouver. Cette odeur unique de genièvre et de farigoule, de térébinthe et d'aigremoine, de laurier et de menthe ne peut se sentir qu'en Provence.

Balthazar jugea l'odeur plaisante. Le paysage aussi. Il cueillit au passage une poignée d'olivettes et tandis que ses serviteurs s'activaient près des dromadaires, il avança, seul, vers cet horizon de collines.

Il y avait là des pierres blanches ; calcinées et nues, éboulées, découpées, un peu fantastiques et qui, sous le bleu dur du ciel, lui rappelèrent sa Chaldée. Il avait, sans se l'avouer, assez le mal du pays.

Il marcha, rêveur, jusqu'au soir tombant. Serviteurs, dromadaires le suivaient de loin, respectant sa songerie.

Il était arrivé juste au pied de très hautes roches, plus blanches que les autres dans le rougeoiement du couchant, plus déchiquetées, plus sauvages.

Il pensait que de là-haut ce serait un merveilleux observatoire pour étudier les astres en mouvement. Comme il le faisait, en Chaldée, du sommet de sa tour de pierre.

Soudain, il entendit chanter. Une voix jeune et gaie, féminine à n'en pas douter.

Il chercha d'où venait le chant et aperçut bientôt un jupon rouge et un bout de casaquin vert derrière un boqueteau d'yeuses. Le jupon allait et venait, comme si la fille cueillait des herbes.

Balthazar, intrigué, s'approcha. Le jupon rouge s'immobilisa brusquement. Et de l'ombre du boqueteau sortit celle qui le portait. Elle pouvait avoir quinze ans, une tresse brune sautait sur son épaule et ce casaquin vert, couleur de pomme, lui faisait la peau ambrée. Elle se tenait droite et regardait Balthazar gravement, sans ciller.

Lui regardait ses yeux et ne pouvait y croire : c'était, en double, l'éclat bleu, mystérieux et glacé de l'Étoile, de son Étoile.

Il dit :

— Que fais-tu là ?

Et elle, qui était vive et rieuse, répondit, un peu pour se moquer, un peu pour secouer cette espèce de charme que le regard de l'inconnu faisait peser sur elle :

— Hé, je cherche l'herbe de Lune. Vous ne savez donc pas, celle qui chausse d'or les dents des brebis qui la broutent !

Et elle rit. Ce rire enchanta Balthazar. La réponse aussi. Pour un amateur d'astres, une fille cherchant l'herbe de Lune est une aubaine rare !

Il l'aima sur-le-champ et décida de l'épouser. Toutefois, il cherchait une formule pour la conquérir sans l'effaroucher. Aussi gardait-il le silence.

186

Ce silence achevait d'embarrasser la jeune fille, habituée qu'elle était aux garçons de Provence qui ont la langue preste. Pour le rompre, elle se mit à parler de ce qui lui tombait sous les yeux — et qu'elle connaissait le mieux : les herbes.

— Vous voyez, celle-ci c'est l'orge de muraille et ces fleurs-entonnoirs, les suce-miel. Ici, la grande passerage qui prédit la pluie, là l'herbe de mort, plus loin une herbe de détourne, qui préserve des maléfices en particulier de la foudre...

Balthazar ne l'écoutait pas. Une foudre d'une autre sorte était tombée sur lui, la foudre d'amour et quelle herbe eût pu l'en préserver ?

Il demanda :

— Comment te nommes-tu ?

Elle répondit :

— Étiennette. Et j'habite là avec ma chèvre.

Elle désignait de son bras à la peau brunie un point dans la pierraille au pied des rocs échevelés et reprit :

— À Saint-Rémy, ils l'appellent le val d'Enfer. Ils croient que les sorcières y viennent mener leur sabbat, la nuit. Mais ce n'est pas vrai. Je n'en ai jamais vu.

Balthazar regardait non le val mais le haut rocher blanc sur le ciel mauve de la nuit :

— Et ce roc si haut, si sauvage, comment le nomment-ils ?

— Il n'a pas de nom, dit Étiennette.

— Tant mieux, dit Balthazar avec solennité. Car désormais il portera le mien. Ce sera le rocher de Bals. J'y bâtirai le plus grand, le plus beau château de tout le pays. Et je t'en ferai la châtelaine, Étiennette, si tu veux m'épouser. Nos enfants seront de puissants seigneurs et leurs descendants auront un jour en fiefs soixante-dix-neuf villes ou villages. Ils seront princes des Baux, aussi puissants que le comte de Provence même.

Car à force d'observer les astres, comme tous les Rois Mages, Balthazar était un peu devin.

Mais Étiennette ignorait qui il était. Ébahie, plutôt inquiète, elle le regardait : quelle espèce de fou étrange venait-elle de rencontrer ?

Comme elle hésitait à se sauver ou à poursuivre un entretien aussi bizarre voilà que surgirent serviteurs et dromadaires.

Étiennette en eut le souffle coupé. Ces hommes vêtus de robes rayées, coiffés de bonnets pointus, ces animaux extravagants... Elle se pinça jusqu'au sang, regrettant bien d'avoir étourdiment évoqué l'instant d'avant, les sorcières et leur sabbat.

Balthazar comprit sa terreur. Et comment la convaincre qu'il n'était pas le diable ?

Une fois encore, l'Étoile vint à son secours. Elle voltigea soudain dans le ciel et vint se placer juste en haut du rocher.

— Lève les yeux et regarde, dit Balthazar à Étiennette. Que vois-tu ?

Étiennette obéit :

— Une étoile que je n'ai jamais vue, brillante et bleue, très grosse. D'où vient-elle ?

Sa peur disparaissait. Car les étoiles sont des

corps célestes, chacun le sait, plus proches de Dieu que du diable.

Balthazar expliqua tout : l'Étoile, la Chaldée, Bethléem, l'Enfant-Dieu et, pour finir, la mer et la Provence.

Rassurée, conquise, Étiennette, à quelque temps de là, l'épousa. Et la prédiction s'accomplit.

Le château des Baux se dressa sur son rocher blanc, dominant les Alpilles et la plaine, d'Arles à la mer. Les seigneurs des Baux furent princes, régnèrent sur soixante-dix-neuf villes et villages et leurs armes portaient sur fond de pourpre une étoile, l'Étoile de Balthazar.

TABLE DES MATIÈRES

Crédits Photographiques

B.N. : 175, 182, 184 ; Giraudon : 174, 173, 189 ; Nathan : 177, 179 ; Roger-Viollet : 181, 187.
Iconographie rassemblée par Isabelle Calabre.

IMPRESSION – FINITION

Achevé d'imprimer en avril 1992
N° d'édition 10008588 / N° d'impression L 39970
Dépôt légal, avril 1992
Imprimé en France

ISBN 2.09.204511.3

Loi du 16 juillet 1949 sur les publications destinées à la jeunesse